PETIT PRÉCIS DE CUISINE MOLÉCULAIRE

Remerciements

Nous tenons à remercier :
Louise-Elvine Liénard, Christèle Gendre et Benjamin Darnaud pour leur aide précieuse.
Hervé This, pour nous avoir transmis sa soif de connaissance.
Sismo design et Lelu, pour nous avoir prêté du matériel.
Et enfin tous nos « testeurs » qui ont eu la gentillesse de se prêter au jeu.

Conception graphique : Jean-Charles Titren - www.septetoiles.com

Anne Cazor & Christine Liénard

PETIT PRÉCIS DE CUISINE MOLÉCULAIRE

20 TECHNIQUES POUR COMPRENDRE
40 RECETTES POUR TESTER

Photographies de Julien Attard

MARABOUT

Introduction

La science explore le monde, recherche les mécanismes de phénomènes naturels. La gastronomie moléculaire est une discipline scientifique qui étudie les transformations culinaires, et les phénomènes de la gastronomie en général. Cette discipline fait partie des sciences des aliments. La technologie utilise les connaissances scientifiques pour en tirer des applications. Dans le domaine qui nous concerne, la technologie culinaire utilise les connaissances de la gastronomie moléculaire et des différentes sciences des aliments pour trouver de nouvelles applications en cuisine. La cuisine, mélange entre art et technique, est indissociable du goût, de la qualité des produits et du savoir-faire du cuisinier. Si, à cela, une démarche de compréhension est intégrée, on parle de cuisine moléculaire. Cette cuisine utilise les applications issues de la technologie pour la création de nouveaux plats, de nouvelles textures, de nouvelles saveurs, de nouvelles sensations...

Ingrédients et matériel

Comme vous pourrez le découvrir dans ce livre, nous allons vous proposer d'utiliser des agents de texture (gélatine, agar-agar, etc.), du matériel de précision (balance de précision, thermoplongeur, etc.).

Les agents de texture sont utilisés pour leurs caractéristiques particulières. Pour répondre à un cahier des charges, à une idée bien définie, leur utilisation est parfois nécessaire. Nous ne pourrions pas, par exemple, obtenir un gel qui tienne à chaud en utilisant de la gélatine ; en revanche, l'agar-agar le permet.

Les ingrédients spécifiques proposées dans ce livre sont des additifs alimentaires. Un additif alimentaire est une substance dotée ou non d'une valeur nutritionnelle, qui est ajoutée intentionnellement à un aliment, dans un but précis d'ordre technologique, sanitaire, organoleptique ou nutritionnel.

Pour les additifs alimentaires utilisés dans les recettes de ce livre, aucune limite quantitative réglementaire n'est actuellement fixée. Ils doivent donc être utilisés, selon les bonnes pratiques de fabrication, à la dose strictement nécessaire pour obtenir l'effet technologique souhaité (*quantum satis*). La consommation des additifs alimentaires est à éviter chez les enfants de moins de 6 ans.

Par ailleurs, certaines des applications qui vous seront présentées nécessitent du matériel spécifique. L'utilisation de fours à thermostat précis, d'une balance de précision, etc., est vivement recommandée pour obtenir des résultats satisfaisants. Par exemple, nous ne mesurons pas exactement la même quantité en utilisant un verre doseur plutôt qu'une balance. Or pour ce type de cuisine la précision est obligatoire.

Acide ascorbique

Acide obtenu par synthèse ou extrait de végétaux.
Il est utilisé pour acidifier des préparations et éviter le noircissement des fruits et légumes.
Code européen E300.

Acide citrique

Acide obtenu par synthèse ou extrait de végétaux.
Il est utilisé, par exemple, pour acidifier des préparations.
Code européen E330.

Agar-agar

Gélifiant extrait d'algues rouges.
Il est largement utilisé dans la cuisine asiatique et permet d'obtenir des gels cassants qui tiennent à chaud (à des températures inférieures à 80 °C).
Code européen E406.

Alginate de sodium

Épaississant-gélifiant extrait d'algues brunes.
Il permet d'augmenter la viscosité d'une préparation pauvre en calcium et il est utilisé, en présence de calcium, pour la technique de sphérification par exemple.
Code européen E401.
Attention : jeter les préparations à base d'alginate de sodium à la poubelle, et non dans les canalisations pour ne pas les obstruer (l'alginate de sodium gélifie au contact du calcium contenu dans l'eau du robinet).

Bicarbonate de sodium

Base obtenue par synthèse.
Il est utilisé, par exemple, pour diminuer l'acidité des préparations.
Code européen E500.

Carraghénane

Gélifiant extrait d'algues rouges.
Il permet d'obtenir des gels élastiques qui tiennent à chaud (à des températures inférieures à 65 °C).
Code européen E407.

Gélatine

Gélifiant d'origine animale.
Il permet d'obtenir des gels élastiques qui fondent en bouche.
Code européen E441.

Lécithine de soja

Émulsifiant extrait de soja.
Il permet d'obtenir des émulsions (mélange d'eau et d'huile par exemple) en stabilisant la dispersion d'un liquide dans un autre.
Code européen E322.

Sel de calcium

Source de calcium (lactate et/ou gluconolactate de calcium).
Il permet d'enrichir des préparations en calcium et il est utilisé pour la technique de sphérification.
Code européen E327-E578.

Sucre pétillant

Mélange de sucres dans lesquels du dioxyde de carbone (CO_2, code européen E290) a été emprisonné.

Balance de précision

Utilisée pour des pesées précises. Elle est recommandée pour peser les additifs alimentaires.

Chinois

Passoire conique dont la maille est très fine. Il permet de filtrer une préparation et ainsi d'en éliminer les particules.

Cuillères doseuses

Jeu de cuillères demi-sphériques. Elles permettent de doser des ingrédients (additifs alimentaires), mais ne remplacent pas la précision d'une balance. Cf. tableau d'équivalences poids en grammes/cuillères doseuses (voir p. 142).

Cuillère à perles

Cuillère trouée. Elle est tout particulièrement adaptée pour égoutter les perles obtenues par sphérification.

Pipette

Utilisée pour prélever des préparations liquides et les verser délicatement (en goutte-à-goutte ou en filet), ou pour une présentation ludique de préparations liquides et semi-épaisses.

Râpe

Utilisée pour râper des ingrédients. Il est important, pour obtenir une belle coupe, que la râpe soit bien tranchante.

Seringue

Utilisée pour deux techniques culinaires. Pour la sphérification, elle permet de faire un goutte-à-goutte. Pour la fabrication de spaghettis, elle permet de remplir un tube alimentaire, puis d'en extraire le gel formé.

Siphon

Utilisé pour fabriquer des mousses. Du gaz contenu dans une cartouche est incorporé à la préparation versée dans le siphon, ce qui permet de l'aérer. Dans ce livre, nous utilisons uniquement des cartouches de NO_2 (pour obtenir des mousses et des chantillys).

Tube

Utilisé pour donner une forme de spaghettis à des gels. Les tubes en silicone alimentaire, résistants à des températures d'au moins 100 °C, sont recommandés.

Thermoplongeur

Résistance chauffante. Fixé à un bain-marie, il permet de le chauffer à des températures très précises. C'est un matériel sécurisé (contrôle de niveau d'eau, de surchauffe, etc.).

Techniques
& Applications

La solubilisation des sucres

La solubilisation consiste à dissoudre un composé dans un liquide. Ce phénomène augmente avec la température et dépend de la quantité et de la nature des autres molécules présentes dans la solution. Dans le cas des sucres et plus particulièrement du saccharose (sucre de table), on peut dissoudre environ 2 kg par litre d'eau à 20 °C. Ce sucre ne se dissout pas dans l'alcool pur et dans les matières grasses.

50 cl de sirop

5 min. de préparation

10 min. de cuisson

1 h de repos

Ingrédients

500 g de sucre en poudre
50 cl d'eau
50 g de fleurs d'hibiscus séchées
10 g de menthe fraîche

Sirop bissap
Sirop de fleurs d'hibiscus-menthe

Mode opératoire

- Rincer les fleurs d'hibiscus séchées.
- Porter à ébullition l'eau et le sucre (l'ébullition est atteinte lorsque les bulles remontent à la surface).
- Retirer du feu, ajouter les fleurs d'hibiscus séchées et les feuilles de menthe, et laisser infuser à couvert et à température ambiante, jusqu'à refroidissement complet (1 heure environ).
- Passer le sirop au chinois, puis mettre en bouteille.
- Conserver au réfrigérateur.
- Diluer 1 dose de sirop dans 4 à 5 doses d'eau, selon le goût.

Le sucre est dilué dans l'eau portée à ébullition. Cette température élevée permet au sucre de se diluer rapidement dans l'eau.

Remplaçons les fleurs d'hibiscus séchées et la menthe par tout autre plante aromatique (basilic, coriandre, lavande, etc.), et laissons-les infuser dans un sirop de sucre chaud. Réalisons ainsi des sirops maison étonnants, à déguster en toute occasion !

1 tablette de chocolat

5 min. de préparation

10 min. de cuisson

2 h de repos

200 g de chocolat
 (noir, blanc ou au lait)
50 g de sucre pétillant

Crépito choco
Chocolat au sucre pétillant

Mode opératoire

- Faire fondre le chocolat au bain-marie à feu doux, en remuant régulièrement.
- Lorsque le chocolat est complètement fondu, retirer le récipient de l'eau frémissante et mélanger vigoureusement jusqu'à ce que le chocolat soit bien lisse.
- Laisser refroidir 5 minutes.
- Ajouter le sucre pétillant en 2 ou 3 fois et mélanger rapidement de manière à enrober le sucre pétillant de chocolat fondu.
- Couler la préparation sur une feuille de papier cuisson, ou dans de petits moules en silicone.
- Laisser durcir dans un endroit frais au moins 2 heures.

Le sucre pétillant (renfermant du dioxyde de carbone) est mélangé à du chocolat. Le chocolat est riche en beurre de cacao, matière grasse dans laquelle le sucre ne se solubilise pas. Dans le chocolat refroidi, le sucre est protégé de l'humidité de l'air et conserve donc ses propriétés pétillantes en bouche.

Faisons crépiter nos préparations ! Versons du sucre pétillant dans notre café avant de le déguster, saupoudrons-le sur une tarte ou une chantilly avant de servir. Un dessert qui fera du bruit !

L'émulsion

Une émulsion est une dispersion de deux liquides non miscibles (qui ne se mélangent pas). Le liquide dispersé prend la forme de gouttelettes dans l'autre liquide. En alimentaire, les émulsions les plus connues sont les émulsions d'huile dans l'eau. Elles ne sont pas stables, car les deux liquides finissent par se séparer. En revanche, les molécules ayant des propriétés tensioactives (la lécithine de soja, les phospholipides, la gélatine, etc.) permettent de stabiliser les émulsions en se plaçant entre les gouttelettes du liquide dispersé et l'autre liquide, ce qui empêche les deux liquides de se séparer.

6 personnes
20 min. de préparation
5 min. de cuisson

Pour la mayonnaise au pastis
1 jaune d'œuf
10 cl d'huile de tournesol
1 c. à s. de vinaigre de vin
3 c. à c. de pastis
Sel, poivre

Pour les frites de poulet
600 g d'escalopes de poulet
2 gros paquets de cacahuètes
soufflées (type Curly®)
2 œufs
200 g de farine
4 c. à s. d'huile de tournesol
Sel, poivre

Apéro pastis
Mayonnaise au pastis, frites de poulet panées aux Curly®

La mayonnaise au pastis
- Mélanger le jaune d'œuf et le vinaigre. Saler et poivrer.
- Verser l'huile dans la préparation en fouettant, par petites quantités au début. Lorsque la mayonnaise commence à prendre, ajouter l'huile restante par plus grosses quantités.
- Ajouter le pastis à la fin, en continuant de fouetter, et rectifier l'assaisonnement.

Les frites de poulet panées aux Curly®
- Réduire les Curly® en poudre (à la main ou à l'aide d'un pilon).
- Ajouter du sel et du poivre.
- Couper les escalopes de poulet en bâtonnets.
- Passer les bâtonnets de poulet dans la farine, puis les tremper dans les œufs battus. Les rouler ensuite dans la chapelure de Curly®.
- Les cuire dans l'huile à la poêle, à feu moyen, pendant 5 minutes, en les retournant de temps en temps.

L'apéro pastis
- Servir immédiatement les frites de poulet panées aux Curly® accompagnées de la mayonnaise au pastis.

La matière grasse (l'huile) est dispersée dans l'eau (contenue dans le jaune d'œuf et le vinaigre) sous forme de petites gouttelettes. Les protéines du jaune d'œuf stabilisent l'émulsion en se plaçant entre les gouttelettes d'huile et l'eau. L'huile doit d'abord être ajoutée en petites quantités pour former l'émulsion « huile dans eau ». Si la quantité d'huile incorporée au départ est trop importante, l'émulsion formée sera de type « eau dans huile » et la mayonnaise ne prendra pas.

Remplaçons l'huile de tournesol par tout autre matière grasse liquide (huile d'olive, huile de noix, beurre fondu, etc.) ; le jaune d'œuf par tout autre aliment contenant des molécules tensioactives (blanc d'œuf, gélatine, etc.), et ajustons la quantité d'eau nécessaire par l'ajout d'un liquide aromatisé, (jus,bière, etc.). Mayonnaise légère au blanc d'œuf, mayonnaise de carottes, etc. ; réalisons ainsi des émulsions étonnantes !

6 personnes

10 min. de préparation

3 h de réfrigération

Ingrédients

Pour le gaspacho
200 g de fraises
20 g de pignons de pin
6 grosses feuilles de basilic frais
40 g de madeleines
5 cl d'huile d'olive
2 cl de vinaigre de cidre
10 cl de cidre doux

Pour le coulis de fraises
100 g de fraises
Sucre en poudre

Gaspacho Nord-Sud
Gaspacho fraises-pesto-cidre, coulis de fraises

Mode opératoire

Le gaspacho fraises-pesto-cidre
- Dans un saladier, mélanger grossièrement les fraises coupées en gros morceaux, les pignons, les feuilles de basilic déchirées à la main, les madeleines en morceaux, le vinaigre de cidre et l'huile d'olive. Couvrir et placer au réfrigérateur au moins 3 heures.
- Émulsionner la préparation au mixeur, puis diluer dans le cidre doux.
- Mixer à nouveau.

Le coulis de fraises
- Mixer les fraises.
- Sucrer le coulis obtenu selon le goût.

Le gaspacho Nord-Sud
- Remplir chaque verrine de gaspacho. Recouvrir d'une couche de coulis de fraises.
- Servir frais.

La matière grasse (l'huile majoritairement) est dispersée dans l'eau (contenue dans les fraises, le vinaigre, le cidre, etc.) sous forme de petites gouttelettes. Les phospholipides (tensioactifs contenus dans les membranes de cellules végétales) stabilisent l'émulsion en se plaçant entre les gouttelettes d'huile et l'eau. La quantité d'huile par rapport à celle d'eau est trop faible pour apporter une fermeté à l'émulsion « huile dans l'eau ». La consistance épaisse du gaspacho est due à l'incorporation d'éléments solides (purée de fraises, madeleines, etc.).

Un gaspacho est une préparation froide à base d'huile, de vinaigre, de pain, de fruits et/ou légumes et de liquide (eau), ce qui correspond à une émulsion. Remplaçons l'huile d'olive par tout autre huile (huile de noix, huile de sésame, etc.) ; le vinaigre de cidre par tout autre vinaigre (vinaigre balsamique, vinaigre de xérès, etc.) ; les madeleines par tout autre pain (pain aux céréales, pain aux figues, etc.) ; les fraises par tout autre fruit ou légume (betterave, concombre, etc.) ; le cidre par tout autre liquide (eau, jus de fruit, etc.). Réalisons ainsi une multitude de gaspachos, salés ou sucrés, à déguster à l'apéritif ou au dessert !

La mousse aérienne de lécithine de soja

Une mousse est une dispersion d'air dans un liquide ou dans un solide. Dans cette technique, la mousse est un liquide tenu grâce à l'action d'un tensioactif : la lécithine de soja. La lécithine de soja est une molécule composée de deux parties : une partie qui « aime » l'eau (hydrophile) et une partie qui « ne l'aime pas » (hydrophobe). Ces molécules vont se placer entre l'eau (que nous cherchons à aérer) et les bulles d'air incorporées, permettant ainsi de stabiliser la mousse.

La présence de matière grasse diminuera l'effet moussant de la lécithine de soja. En effet, la lécithine se placera entre l'eau et la matière grasse de la préparation, plutôt qu'entre l'eau et les bulles d'air.

50 cl de cocktail

10 min. de préparation

30 min. de réfrigération

15 cl de rhum ambré
10 cl de liqueur de café
25 cl de café froid
4 g de lécithine de soja

Stout café
Café mexicain mousseux

Mode opératoire

- Mélanger le rhum ambré, la liqueur de café et le café froid.
- Ajouter la lécithine de soja et mixer.
- Introduire la préparation dans le siphon, et placer le siphon au réfrigérateur pendant au moins 30 minutes.
- Introduire une cartouche de gaz dans le siphon, secouer fortement (la tête en bas), et servir en introduisant le bec du siphon dans le verre et en remontant progressivement. Renouveler l'opération lorsque la quantité de mousse a diminué au moins de moitié.
- Servir immédiatement.

La préparation à base de café est aérée par utilisation du siphon, et stabilisée par ajout de lécithine de soja. L'incorporation très rapide de l'air dans la préparation (par utilisation du siphon) ne permet pas à la lécithine de soja de se placer entre chaque bulle d'air et le liquide. Certaines bulles disparaissent alors que d'autres restent bloquées en surface. On obtient un effet « bière ».

Une mousse, s'il vous plaît ! Remplaçons le café par tout autre liquide contenant peu de matière grasse. Ajoutons de la lécithine de soja (à hauteur de 0,3 à 0,8 g pour 100 g de préparation), et introduisons cette préparation dans un siphon. Réalisons ainsi une bière de jus de tomate, de thé, de citronnade, etc.

12 makis

6 personnes

30 min. de préparation

2 min. de cuisson (facultatif)

Ingrédients

Pour la mousse aérienne
10 cl de sauce soja
30 g de miel liquide
2 g de wasabi
0,9 g de lécithine de soja

Pour les makis au riz soufflé
300 g de pavé de saumon
4 galettes de riz soufflé
2 feuilles d'algue nori
2 c. à s. d'huile de tournesol
Sel

Soja gonflé, sushi soufflé
Mousse aérienne de sauce soja, maki au riz soufflé

Mode opératoire

La mousse aérienne de sauce soja
- Mélanger tous les ingrédients et mixer fortement.
- Au moment de servir, mixer la préparation en veillant à n'immerger que la moitié du mixeur plongeant et en l'inclinant, de manière à incorporer un maximum d'air à la préparation.
- Récupérer la mousse légère ainsi produite. Renouveler l'opération autant de fois que nécessaire.

Les makis au riz soufflé
- Détailler le saumon en rectangles de 4 cm sur 2 cm environ.
- Découper des rectangles de même taille dans les galettes de riz soufflé.
- Découper des lanières de 4 cm de large dans les feuilles d'algue nori.
- Déposer chaque morceau de saumon sur un morceau de riz soufflé, et les enrouler dans une lanière d'algue nori.
- Poêler les makis ainsi obtenus dans l'huile, 30 secondes sur chaque face (étape facultative).

Le soja gonflé, sushi soufflé
- Servir immédiatement les makis accompagnés d'un nuage de sauce soja.

Exploration

La préparation à base de sauce soja est aérée par le mixeur plongeant et stabilisée par la lécithine de soja. L'incorporation progressive de l'air dans la préparation (par utilisation du mixeur plongeant) permet à la lécithine de soja de se placer entre chaque bulle d'air et le liquide. Les bulles d'air sont bloquées dans la préparation. On obtient un aspect « shampoing ».

Innovation

Remplaçons la sauce soja par tout autre liquide aromatisé contenant peu de matière grasse. Ajoutons de la lécithine de soja (à hauteur de 0,3 à 0,8 g pour 100 g de préparation) et mixons. Réalisons ainsi des mousses aériennes de jus de pomme, d'ail, de gingembre, etc. Cette technique de préparation apporte légèreté et douceur à des préparations fortes (épicées, concentrées, etc.).

La chantilly

La chantilly est une émulsion (voir p. 26) mousseuse.
L'émulsion doit contenir une matière grasse épaisse à froid. En fouettant cette émulsion sur un bain de glace, l'air incorporé est fixé dans l'émulsion grâce à la cristallisation de la matière grasse, elle-même provoquée par la diminution de la température.

6 personnes

10 min. de préparation

2 h de réfrigération

Ingrédients

Pour la chantilly framboise
20 cl de crème entière liquide
(30 % de matière grasse)
100 g de coulis de framboises
(sans pépins)
20 g de sucre en poudre

Pour le litchi et le crumble
6 palets bretons
1 boîte de litchis ou 18 litchis frais

Thaï breizh
Chantilly framboise, cœur de litchi, crumble de palets bretons

Mode opératoire

La chantilly framboise
- Mélanger la crème liquide, le coulis de framboises et le sucre.
- Introduire la préparation dans le siphon et le placer au réfrigérateur pendant 2 heures.

Le thaï breizh
- Émietter un palet breton dans le fond de chaque verrine, ajouter par-dessus 3 litchis taillés en petits morceaux.
- Introduire une cartouche de gaz dans le siphon, secouer fortement le siphon (la tête en bas) et recouvrir de chantilly framboise.
- Servir immédiatement.

La crème est une émulsion contenant de la matière grasse épaisse à froid, des protéines et de l'eau. Le siphon permet d'aérer et de refroidir la préparation (une étape de réfrigération supplémentaire est souvent nécessaire). Les bulles de gaz incorporées sont fixées, dans cette émulsion, par cristallisation de la matière grasse. On obtient une crème chantilly. Le coulis, composé majoritairement d'eau, est ajouté en quantité suffisante pour aromatiser la crème chantilly, sans gêner sa formation. Sans siphon, ce résultat peut être obtenu en refroidissant et en fouettant l'émulsion épaisse sur un bain de glace (mélange eau + glaçons).

Remplaçons le coulis de framboises par tout autre aliment ou ingrédient aromatisant, salé ou sucré (épices, Nutella®, etc.). Mélangeons-le à la crème liquide, de manière à obtenir une émulsion épaisse. Puis, sur un bain de glace ou à l'aide d'un siphon (il est important que la préparation soit lisse pour ne pas obstruer l'ouverture du siphon), fixons l'air incorporé en cristallisant la matière grasse par le froid. Imaginons ainsi une infinité de chantillys « originales » : une texture aérée, en version sucrée ou salée !

4 personnes
20 min. de préparation
20 min. de cuisson
2 h de réfrigération

Ingrédients

Pour le foie gras chantilly
100 g de foie gras mi-cuit
7 cl de pur jus de pomme

Pour la crème de boudin noir
2 gros boudins noirs
  (250 g au total)
3 échalotes
3 c. à c. rases de graisse de canard
10 cl de pur jus de pomme
Sel, poivre

Caoua
Foie gras chantilly, crème de boudin noir aux échalotes

Mode opératoire

Le foie gras chantilly
- Mixer le foie gras mi-cuit (préalablement ramolli à température ambiante) et le jus de pomme.
- Passer la préparation au chinois (la préparation doit être lisse pour ne pas obstruer l'ouverture du siphon).
- Introduire la préparation dans le siphon et le placer au réfrigérateur pendant 2 heures.

La crème de boudin noir aux échalotes
- Ciseler les échalotes finement.
- Dans une poêle, les saler et les faire suer dans la graisse de canard, à feu doux. Arrêter la cuisson quand elles sont fondantes (10 minutes environ).
- Dans la même poêle, faire rissoler de chaque côté les boudins noirs entiers piqués à la fourchette (10 minutes environ).
- Enlever la peau des boudins.
- Mixer la chair des boudins, les échalotes, le jus de pomme et le poivre. Rectifier l'assaisonnement.

Le caoua
- Dans chaque tasse à espresso, verser la crème de boudin noir tiède jusqu'aux trois quarts. Si besoin, réchauffer légèrement les tasses au four à micro-ondes.
- Introduire une cartouche de gaz dans le siphon, le secouer fortement (la tête en bas) et déposer une fine couche de foie gras chantilly au-dessus de la crème de boudin noir.
- Servir immédiatement.

Le mélange de foie gras et de jus de pomme est une émulsion contenant de la matière grasse épaisse à froid, des protéines (apportées par le foie gras) et de l'eau (contenue dans le jus de pomme). En préparant ce mélange au siphon, on obtient un foie gras chantilly.

Remplaçons le foie gras par un aliment riche en matière grasse épaisse à froid (chocolat, avocat, roquefort, etc.) et le jus de pomme par un liquide de notre choix (jus d'orange, thé au citron, infusion de thym, bouillon de volaille, etc.). Mélangeons ces deux aliments, de manière à obtenir une émulsion épaisse. Puis, sur un bain de glace ou à l'aide d'un siphon, fixons l'air incorporé en cristallisant la matière grasse par le froid. Transformons les aliments « gras » en aliments « légers », en version sucrée ou salée !

Le gel fondant

Un gel est un liquide emprisonné dans un réseau. Ce réseau peut être composé de protéines (gélatine, protéines de l'œuf, etc.), ou de polysaccharides (agar-agar, carraghénane, etc.).

La gélatine est une protéine extraite de la viande ou du poisson. Cette protéine a des propriétés gélifiantes, qui permettent le passage d'une structure liquide à une structure « gel » par la formation d'un réseau.

La gélatine se dissout dans des préparations chaudes (à des températures supérieures à 50 °C) et gélifie à des températures de 10 °C environ. Si le gel est réchauffé à plus de 37 °C, il fond.

20 cubes gélifiés 20

ou 10 tasses à thé 10

15 min. de préparation

30 min. de cuisson

2 h de réfrigération

Ingrédients

45 cl de pur jus de pomme
15 cl d'eau frémissante
1 betterave cuite (125 g environ)
2 sachets de thé Earl Grey
30 à 50 g de sucre en poudre
    (selon le goût)
10 g de gélatine (5 feuilles)

Instantanéi-thé
Cubes gelés de thé pomme-betterave

Mode opératoire

- Mettre les feuilles de gélatine à tremper dans de l'eau froide pour les ramollir.
- Dans une casserole, faire réduire le jus de pomme des deux tiers, de manière à obtenir 15 cl de jus de pomme concentré (30 minutes environ). Écumer si nécessaire.
- Mixer la betterave coupée en morceaux et l'eau frémissante.
- Laisser infuser 2 minutes et passer au chinois, de manière à obtenir 15 cl de jus de betterave.
- Dans une casserole, chauffer le jus de betterave avec le jus de pomme réduit.
- Aux premiers frémissements, retirer du feu et faire infuser les sachets de thé dans la préparation pendant 3 à 4 minutes, directement dans la casserole.
- Remettre la préparation à chauffer avec le sucre. Aux premiers frémissements, la retirer du feu et ajouter immédiatement la gélatine ramollie à peine essorée, en remuant au fouet.
- Couler la préparation dans un bac à glaçons souple, ou dans un moule (la gelée ainsi obtenue devra être découpée en cubes).
- Laisser refroidir à température ambiante, puis placer au réfrigérateur au moins 2 heures.
- Placer 2 à 3 glaçons dans une tasse (selon le volume de la tasse et le goût), et ajouter de l'eau bouillante.
- Remuer et déguster.

La préparation contenant de la gélatine gélifie en refroidissant. Par la suite, le gel formé se liquéfie par ajout d'eau bouillante et libère les composés aromatiques. En refroidissant, le gel ne se reformera pas, car le pourcentage de gélatine sera trop faible pour emprisonner la quantité de liquide ajoutée.

Pour obtenir des cubes de gelée aromatisée à faire fondre, partons d'une préparation liquide de notre choix. Chauffons-la, ajoutons de la gélatine (à hauteur de 3 g pour 100 g de préparation) et laissons refroidir. Une manière originale d'offrir une boisson chaude instantanée à nos convives ! Osons toutes les déclinaisons de thé, café, infusion, etc., dans des versions aux fruits, légumes, épices, aromates, etc. Modifions les classiques avec des cubes gélifiés de cacao sur lesquels il suffirait de verser du lait chaud, ou encore un mélange d'épices et d'écorces pour vin chaud.

4 personnes

20 min. de préparation

45 min. de cuisson

2 h de réfrigération

Ingrédients

Pour les cubes bouillon
3 g de gélatine (1 feuille + ½)
50 cl d'eau
1 petit os à moelle
1 bâton de cannelle
1 étoile de badiane (anis étoilé)
6 graines de coriandre
½ oignon
2 cm de gingembre frais
1 c. à s. de sucre en poudre

Le jus de ½ citron
2 c. à s. de nuoc-mâm
1 grosse pincée de sel

Pour la soupe de nouilles
100 g de nouilles de riz
200 g de bœuf
1 oignon frais
2 brins de coriandre fraîche
80 cl d'eau

Soupe pho
Cube bouillon, soupe de nouilles

Mode opératoire

Les cubes bouillon
- Mettre les feuilles de gélatine à tremper dans de l'eau froide pour les ramollir.
- Dans une casserole, faire réduire, à feu moyen, l'eau avec l'os à moelle, le bâton de cannelle, l'étoile de badiane, les graines de coriandre écrasées, le demi-oignon émincé, le gingembre épluché et taillé en fines lamelles et le sucre, de façon à obtenir à peu près 8 cl de préparation passée au chinois (40 minutes environ). Écumer si nécessaire.
- Ajouter le jus de citron, le nuoc-mâm et le sel à la préparation.
- Mélanger et remettre à chauffer à feu moyen.
- Aux premiers frémissements, retirer du feu et ajouter immédiatement la gélatine à peine essorée en remuant au fouet.
- Couler la préparation dans un bac à glaçons souple, ou dans un petit moule carré sur 2 cm de hauteur environ (la gelée obtenue devra être découpée en 4 petits cubes).
- Laisser refroidir à température ambiante, puis placer au réfrigérateur au moins 2 heures.

La soupe de nouilles
- Faire tremper les nouilles de riz dans une casserole d'eau tiède pendant 30 minutes, puis porter à ébullition 1 minute, et égoutter.
- Au fond de chaque bol de service, placer des nouilles de riz, de fines lamelles de bœuf cru, de l'oignon frais émincé et quelques feuilles de coriandre fraîche.
- Verser 20 cl d'eau bouillante environ dans chaque bol et y plonger un cube bouillon.
- Remuer et déguster.

Cette recette utilise les mêmes propriétés de la gélatine que précédemment : le gel de gélatine fond à plus de 37 °C. La différence tient à l'absence, dans cette recette, des molécules de sucre. Les gels obtenus sans ajout de sucre dans la préparation de base sont légèrement moins élastiques.

Pour obtenir d'autres cubes d'assaisonnement que l'on pourrait ajouter à des bouillons, des soupes campagnardes ou asiatiques, partons d'une préparation liquide de notre choix. Chauffons-la, ajoutons de la gélatine (à hauteur de 3 g pour 100 g de préparation) et laissons refroidir. Des cubes de sauce soja-coriandre-gingembre-citron vert, des cubes « bouquet garni », etc. Pimentons nos idées avec ces petites gelées !

La mousse gélifiée

Une mousse est une dispersion de gaz dans un liquide.
Si on fouette de l'eau, les bulles incorporées remontent à la surface.
Si l'on incorpore de l'air dans un liquide contenant de la gélatine (molécule aux propriétés tensioactives et gélifiantes), les bulles d'air incorporées sont stabilisées (la gélatine se place entre l'eau et les bulles d'air), et la préparation va gélifier en refroidissant (la gélatine emprisonne le liquide dans un réseau). Le gel formé bloque les bulles d'air à l'intérieur du réseau. On obtient ainsi une mousse gélifiée.

20 guimauves

30 min. de préparation

8 min. de cuisson

1 h de repos

2 h de réfrigération

Ingrédients

300 g de sucre en poudre
1 c. à s. de sucre en poudre
20 cl de sirop de menthe glaciale
2 blancs d'œufs
16 g de gélatine (8 feuilles)
100 g de sucre glace
200 g de chocolat noir pâtissier

Guimauve polaire
Guimauve à la menthe glaciale enrobée de chocolat

Mode opératoire

○ Mettre les feuilles de gélatine à tremper dans de l'eau froide pour les ramollir.

○ Dans une casserole, chauffer le sucre avec le sirop de menthe glaciale, à feu moyen, puis porter à ébullition 7 à 8 minutes (le mélange va mousser).

○ Monter les blancs en neige, et ajouter la cuillère à soupe de sucre à la fin, en continuant de battre.

○ Retirer le sirop de menthe glaciale du feu et ajouter les feuilles de gélatine à peine essorées en remuant au fouet.

○ Verser le sirop en filet sur les blancs en neige en continuant de fouetter (au batteur électrique de préférence, à vitesse rapide) pendant au moins 5 minutes.

○ Verser la préparation dans un moule carré, sur 2 à 3 cm de hauteur.

○ Laisser refroidir à température ambiante, puis placer au réfrigérateur au moins 2 heures.

○ Démouler la guimauve ainsi obtenue, et saupoudrer la surface de sucre glace (pour une manipulation plus facile).

○ Couper la guimauve en gros cubes et les saupoudrer de sucre glace sur toutes les faces.

○ Faire fondre le chocolat noir au bain-marie, à feu doux, en remuant de temps en temps. Lorsque le chocolat est totalement fondu, le retirer du feu et en badigeonner les cubes de guimauve à l'aide d'un pinceau.

○ Laisser durcir dans un endroit frais.

Exploration

Les blancs d'œufs (composés d'eau et de protéines) montés en neige forment une mousse. L'incorporation de la gélatine dans cette mousse permet sa gélification. On obtient une mousse gélifiée. La gélatine a été préalablement dissoute dans le sirop, et non dans les blancs d'œufs, pour ne pas risquer la coagulation des protéines du blanc d'œuf (voir p. 56) lors du chauffage. Le sirop de sucre apporte une texture collante et élastique à cette mousse gélifiée.

Innovation

Remplaçons notre sirop de menthe glaciale par tout autre sirop : citron, framboise, caramel, orgeat, violette (sirop du commerce ou fait maison, voir p. 22). Après y avoir dissous la gélatine (à hauteur de 3 g pour 100 g de préparation), ajoutons-le au blanc d'œuf battu en neige et laissons la préparation gélifier au froid. Créons ainsi des guimauves maisons originales qui raviront petits et grands !

4 personnes

25 min. de préparation

35 min. de cuisson

1 h de repos

2 h 30 min.
de réfrigération

Ingrédients

Pour la mousse gélifiée
3 jaunes d'œufs
15 cl d'eau
½ cube de bouillon
  (volaille, légumes, etc.)
6 g de gélatine (3 feuilles)

Pour la ratatouille
1 poivron vert
1 poivron rouge
4 tomates moyennes
1 gros oignon
2 gousses d'ail
3 c. à s. d'huile d'olive
2 pincées de sucre
1 c. à c. de paprika
1 c. à c. de coriandre moulue
Sel

Chakchouka
Mousse gélifiée de jaunes d'œufs, ratatouille

Mode opératoire

La mousse gélifiée de jaunes d'œufs
- Mettre les feuilles de gélatine à tremper dans de l'eau froide pour les ramollir.
- Dans une casserole, chauffer l'eau et le demi-cube de bouillon.
- Aux premiers frémissements, retirer le bouillon du feu et ajouter les feuilles de gélatine à peine essorées en remuant au fouet.
- Laisser refroidir à température ambiante dans un saladier (30 minutes environ).
- Placer le saladier dans un bain d'eau froide, et verser les jaunes d'œufs (passés au chinois) en filet sur le bouillon, tout en fouettant (au batteur électrique de préférence).
- Transférer rapidement la préparation dans des moules individuels et placer au réfrigérateur au moins 2 heures.

La ratatouille
- Couper l'oignon en rondelles, les poivrons en petits morceaux, les tomates en dés et les gousses d'ail dégermées en fines lamelles.
- Dans une poêle, faire revenir l'oignon et les poivrons salés dans l'huile d'olive, pendant 7 à 8 minutes, à feu doux et en remuant de temps en temps.
- Ajouter l'ail et les épices, et cuire 2 minutes.
- Ajouter les tomates, le sucre et le sel, et cuire à demi-couvert pendant 20 minutes environ (jusqu'à évaporation presque totale du jus de cuisson). Rectifier l'assaisonnement.
- Laisser refroidir à température ambiante, puis placer au réfrigérateur.

La chakchouka
- Disposer chaque mousse gélifiée de jaunes d'œufs sur une portion de ratatouille froide et servir.

La gélatine est dissoute dans le bouillon chaud, puis le jaune d'œuf est ajouté à la préparation. La gélatine est utilisée pour ses propriétés tensioactives et gélifiantes. Elle permet, d'une part, de lier l'eau du bouillon et la matière grasse du jaune d'œuf, et d'autre part, de gélifier la mousse obtenue après fouettage de l'émulsion et refroidissement sur bain d'eau froide.

Remplaçons le bouillon et les jaunes d'œufs par la préparation de notre choix. Après y avoir dissous la gélatine (à hauteur de 3 g pour 100 g de préparation), fouettons cette préparation refroidie et laissons-la gélifier au froid. Créons ainsi des mousses gélifiées d'huile d'olive, de jus de carotte ou de raisin, de thé, d'infusion de thym, etc., qui pourront prendre la forme de nos envies !

La coagulation des protéines de l'œuf

Le blanc d'œuf est composé de 90 % d'eau et de 10 % de protéines. Le jaune d'œuf est composé de 60 % d'eau, de 33 % de matière grasse et de 17 % de protéines.

Certaines protéines ont la propriété de coaguler (c'est-à-dire de se lier entre elles et de former ainsi un réseau) dans certaines conditions (température, pH, etc.). Les protéines du blanc et du jaune d'œuf étant de natures différentes, elles coagulent à des températures différentes.

C'est à partir de 61 °C que les premières protéines de l'œuf (celles du blanc) coagulent. Puis, en augmentant la température, d'autres protéines (du blanc et du jaune d'œuf) coagulent à leur tour, formant un réseau de plus en plus dense. On obtient ainsi une grande variété de textures de l'œuf, selon la température utilisée.

12 mikados mimosa 12

15 min. de préparation

15 min. de cuisson

12 gressins
1 gros œuf
4 olives noires dénoyautées
4 brins de coriandre fraîche
2 c. à s. de mayonnaise

Mikado mimosa
Œuf dur à la provençale sur gressins

◦ Dans une casserole d'eau froide, immerger l'œuf et le cuire 10 minutes à partir de l'ébullition. Passer l'œuf dur sous l'eau froide, puis l'écaler.

◦ Découper les olives noires en petits morceaux. Ciseler les feuilles de coriandre fraîche. Râper l'œuf dur sur une râpe à gros trous.

◦ Mélanger grossièrement ces 3 ingrédients.

◦ Badigeonner de mayonnaise la moitié supérieure des gressins. Rouler chaque gressin dans le mélange œuf dur-olives noires-coriandre et servir.

L'œuf entier est placé dans de l'eau à 100 °C. À cette température, les protéines de l'œuf ont toutes coagulé. On obtient donc un œuf dur au blanc caoutchouteux et au jaune sableux. Cet œuf est facile à râper.

Utilisons la propriété des protéines de l'œuf à former des réseaux pour « texturer » nos plats ! Une crème anglaise plus épaisse ? Rajoutons des œufs entiers ! Une quiche plus moelleuse ? Rajoutons du jaune d'œuf (riche en matière grasse) à notre appareil à quiche ! Un flan plus ferme ? Rajoutons du blanc d'œuf (riche en protéines) !

32 bonbons

4 personnes

15 min. de préparation

1 ou 2 h de cuisson

30 min. de repos

4 jaunes d'œufs
15 g de sucre vanillé

Sweet yolk
Billes de jaune d'œuf à 67 °C, cristaux de vanille

Mode opératoire

Au thermoplongeur
- Disposer délicatement les jaunes d'œufs crus dans un sac congélation, et l'immerger dans le bac d'eau du thermoplongeur, réglé sur 67 °C.
- Cuire au moins 1 heure, puis laisser refroidir à température ambiante.

Au four basse température
- Placer des œufs entiers, directement dans leur boîte en carton, dans un four basse température réglé sur 67 °C. Cuire au moins 2 heures. Passer les œufs sous l'eau froide et laisser refroidir à température ambiante.
- Casser les œufs comme des œufs frais, et récupérer les jaunes d'œufs.

Le sweet yolk
- Éliminer la fine pellicule autour de chaque jaune d'œuf. Séparer les jaunes d'œufs en deux, puis chaque moitié en quatre (de manière à obtenir 8 petits morceaux par jaune d'œuf).
- Confectionner des petites billes et les rouler dans le sucre vanillé.
- Servir immédiatement.

Les jaunes d'œufs sont cuits à 67 °C. À cette température, les protéines du jaune n'ont pas toutes coagulé. On obtient un jaune dont la texture est pommade, malléable, tartinable.

Travaillons ce jaune d'œuf à 67 °C pour lui donner des formes variées : en carré, en quenelle, en tube, etc. À modeler, mais aussi à fourrer (dans une tuile, un chou, un légume, etc.), à tartiner, etc. Explorons aussi la grande palette des températures de coagulation des protéines de l'œuf (65 °C, 66 °C, 67 °C, 68 °C, etc.), pour obtenir des textures variées, de blanc comme de jaune d'œuf. Salé ou sucré, l'œuf comme on n'a jamais osé le manger !

La meringue

La meringue réunit 3 techniques : la mousse, la coagulation des protéines de l'œuf et la déshydratation à chaud.

La meringue est réalisée à partir de sucre et de blancs d'œufs montés en neige, puis séchés au four :

– Lors du fouettage des blancs d'œufs (protéines + eau), les protéines se déroulent, emprisonnant l'eau et les bulles d'air incorporées dans un réseau. On obtient alors une mousse.

– L'incorporation de sucre dans ces blancs montés en neige augmente leur viscosité et stabilise la mousse. On obtient ainsi une mousse plus ferme.

– Le passage au four des blancs d'œufs meringués permet leur cuisson et leur séchage : les protéines du blanc coagulent (voir la coagulation des protéines de l'œuf p. 56) et l'eau s'évapore (voir la déshydratation à chaud p. 86). On obtient une mousse solide.

8 meringues auvergnates

15 min. de préparation

2 h de cuisson

3 blancs d'œufs
180 g de sucre en poudre
160 g de bleu d'Auvergne

Meringue auvergnate
Meringue française, bleu d'Auvergne

Les meringues françaises
○ Préchauffer le four à 90 °C.
○ Monter les blancs en neige ferme.
○ Ajouter le sucre par petites quantités en continuant de fouetter (au batteur électrique de préférence, à vitesse rapide).
○ Déposer de petites portions d'appareil à meringue sur une plaque de silicone ou sur une plaque recouverte de papier de cuisson. Enfourner et cuire pendant au moins 2 heures, en laissant la porte du four légèrement entrouverte. Les meringues doivent se décoller facilement de la plaque et ne pas dorer pendant la cuisson.

Les meringues auvergnates
○ Découper des morceaux de bleu d'Auvergne du diamètre des meringues et de 0,5 cm d'épaisseur environ.
○ Assembler les meringues 2 à 2 fourrées d'un morceau de bleu d'Auvergne et servir.

Les blancs d'œufs sont montés en neige, puis du sucre est ajouté. De par ses propriétés hygroscopiques, le sucre permet de retenir l'eau des blancs d'œufs dans la mousse. On obtient une mousse ferme. Ces blancs d'œufs meringués sont séchés au four pendant plusieurs heures. Cette étape de séchage permet la coagulation des protéines du blanc d'œuf et l'évaporation lente de l'eau. On obtient une mousse solide : la meringue.
On se place à 90 °C pour éviter une coloration de la surface de la meringue (voir la caramélisation p. 68 et les réactions de Maillard p. 74).

Jouons sur le temps de cuisson pour obtenir des meringues aux textures variées : craquantes (complètement sèches), ou au cœur moelleux (partiellement sèches). Ajustons la température pour obtenir des meringues blanches (températures inférieures à 95 °C), ou dorées (à plus fortes températures). Des petites meringues maison, à déguster telles quelles au goûter, ou à l'apéritif en version sucrée-salée !

24 cristaux de vent
15 min. de préparation
2 h 20 min. de cuisson
20 min. de repos

4 blancs d'œufs
5 cl d'eau
5 feuilles de menthe fraîche
5 gouttes d'Antésite® réglisse
 (concentré de réglisse)
120 g de sucre en poudre
120 g de sucre glace

Cristal de vent
Meringue aérienne réglisse-menthe

○ Préchauffer le four à 120 °C.
○ Dans une petite casserole, chauffer l'eau. Aux premiers frémissements, retirer du feu et ajouter les feuilles de menthe et les gouttes d'Antésite® réglisse. Couvrir et laisser infuser au moins 20 minutes.
○ Passer l'infusion au chinois pour ne récupérer que le liquide.
○ Monter les blancs en neige. À mi-parcours, incorporer, en continuant de fouetter (au batteur électrique de préférence, à vitesse moyenne) et par petites quantités, l'infusion menthe-réglisse, puis le sucre en poudre et enfin le sucre glace.
○ Déposer délicatement des petites portions d'appareil à meringue sur une plaque de silicone ou sur une plaque recouverte de papier cuisson.
○ Enfourner et cuire pendant 20 minutes. Baisser la température du four à 100 °C et cuire encore pendant 2 heures environ.
○ Laisser refroidir à température ambiante et servir.

Pour obtenir une mousse, on a besoin d'air, de molécules tensioactives et de liquide. Dans cette recette, l'air ne manque pas et le blanc d'œuf contient beaucoup de protéines (molécules tensioactives). L'augmentation du volume de la mousse est donc limitée par la faible quantité d'eau présente dans le blanc d'œuf. Pour obtenir une mousse plus volumineuse, on ajoute de l'eau aromatisée lors du fouettage des blancs d'œufs. Après ajout de sucre, les blancs d'œufs meringués sont séchés au four à 120 °C (pour accélérer la coagulation des protéines et éviter la perte d'eau), puis à 100 °C pour finir le séchage. On obtient des meringues aérées et friables.

Remplaçons l'infusion de réglisse-menthe par tout autre liquide aromatisé (jus de framboise ou litchi, vin blanc ou rouge, etc.). Ajoutons ce liquide à nos blancs d'œufs meringués et séchons-les au four. Réalisons ainsi des meringues extrêmement légères : un nuage en bouche !

La caramélisation

La caramélisation est une réaction des sucres, lors de la cuisson, qui aboutit à des changements de couleur et de goût des aliments : c'est une réaction de brunissement non enzymatique.

Le caramel classique s'obtient lorsque l'on chauffe du sucre de table (saccharose) et de l'eau, à une température élevée (comprise entre 95 °C et 150 °C).

En chauffant le mélange, l'eau s'évapore et le saccharose se dissocie en deux sucres simples : le glucose et le fructose. Avec l'augmentation de la température, ces sucres simples vont se recombiner et former d'autres molécules, colorantes et aromatiques.

6 personnes

10 min. de préparation

20 min. de cuisson

Ingrédients

6 grosses pommes (type golden)
450 g de sucre en poudre
6 cl d'eau
100 g de sucre glace

(Pomme d'amour)[2]
Caramel croquant, pomme

Mode opératoire

- Laver et équeuter les pommes. Couper les bords, de manière à obtenir des cubes.
- Passer chaque face des cubes dans le sucre glace tamisé, et planter un gros bâtonnet en bois dans chaque cube de pomme.
- Dans une petite casserole, mettre le sucre et l'eau. Bien mélanger. Cuire à feu moyen, jusqu'à obtenir une coloration rousse (15 à 20 minutes).
- Retirer le caramel du feu et tremper rapidement chaque cube dans le caramel en le faisant tourner et en le tapotant sur les bords de la casserole pour éliminer l'excédent de caramel.
- Plonger rapidement chaque cube dans un grand saladier rempli d'eau très froide, pendant 5 secondes. Disposer les cubes de pomme caramélisés sur une assiette beurrée ou sur une feuille de papier cuisson, le bâtonnet vers le haut.
- Servir immédiatement.

  Il est possible d'utiliser des petits cubes de pomme piqués d'un cure-dents pour réaliser des pommes d'amour bouchées.

Le sucre est porté à ébullition. À ces températures élevées, des réactions de caramélisation ont lieu, induisant un brunissement et le développement de notes aromatiques spécifiques au caramel. La quantité d'eau présente en fin de recette étant faible, on obtient un caramel dur après refroidissement.

Utilisons la propriété du caramel à cristalliser ! Réalisons toutes sortes de « vitraux alimentaires » (sucettes, tuiles, etc.) ; créons un contraste entre deux textures (le croquant et le moelleux) ; ou enrobons des aliments solides (à la seule condition de le verser uniquement sur des préparations supportant la chaleur).

Ingrédients

Pour le flan de chèvre frais

200 g de fromage de chèvre frais
(type Petit Billy®)

30 cl de crème liquide entière

2,5 g de carraghénane
(ou 1,2 g d'agar-agar)

Sel, poivre

Pour le caramel de moutarde

30 g de moutarde à l'ancienne

3 cl de bière blonde

100 g de sucre en poudre

1 c. à c. de vinaigre blanc

Flanbi dijonnais
Caramel de moutarde à l'ancienne, flan de chèvre frais

Mode opératoire

Le caramel de moutarde à l'ancienne

- Dans un bol, mélanger la moutarde à l'ancienne et la bière.
- Dans une casserole, chauffer le sucre et le vinaigre blanc, à feu moyen, jusqu'à obtenir une coloration rousse (15 à 20 minutes).
- Retirer du feu et déglacer par petites quantités avec le mélange bière-moutarde en remuant (attention aux projections). Remettre à cuire à feu doux 5 minutes environ, de manière à obtenir une consistance sirupeuse.
- Répartir le caramel de moutarde à l'ancienne dans 6 moules individuels.

Le flan de chèvre frais

- Mixer le fromage frais et la crème fraîche. Saler et poivrer.
- Dans une casserole, chauffer la préparation au fromage. Ajouter l'agar-agar en pluie fine et mélanger au fouet, en évitant d'incorporer trop d'air.
- Porter à ébullition pendant 2 à 3 minutes en remuant.
- Retirer du feu et laisser refroidir à température ambiante 5 à 10 minutes.

Le flanbi dijonnais

- Répartir délicatement la préparation dans les moules individuels.
- Laisser refroidir à température ambiante (20 minutes environ) puis placer au réfrigérateur (30 minutes environ).

Le sucre est porté à ébullition pour obtenir un caramel. En augmentant l'acidité de la préparation par ajout de vinaigre, les réactions de caramélisation sont ralenties. Grâce à la quantité d'eau apportée par le déglaçage en fin de recette, on obtient un caramel sirupeux après refroidissement. Si l'on continuait à cuire ce caramel, l'eau s'évaporerait et on obtiendrait un caramel dur.

Remplaçons le mélange bière-moutarde par tout autre liquide aromatisé (vinaigre de framboise, jus d'orange, etc.). Quand le caramel est prêt (roux), déglaçons-le avec ce liquide aromatisé pour obtenir un caramel fluide ou nappant (ajustons la quantité de liquide ajouté en fonction de la texture désirée). Réalisons ainsi une gamme de caramels, sucrés ou sucrés-salés, en accompagnement de flans, de viandes, de fruits et légumes frais ou cuits, etc. En bref, caramélisons !

Les réactions de Maillard

Les réactions de Maillard, autres réactions de brunissement non enzymatique (voir la caramélisation p. 68), génèrent des molécules aromatiques, sapides et colorées. On retrouve ces réactions notamment lors de la fabrication du pain, de la cuisson des viandes, etc.

Ces réactions interviennent entre des sucres et des protéines (plus exactement des acides aminés), à température élevée. Une cascade de réactions va conduire à la formation de composés bruns, aromatiques et sapides.

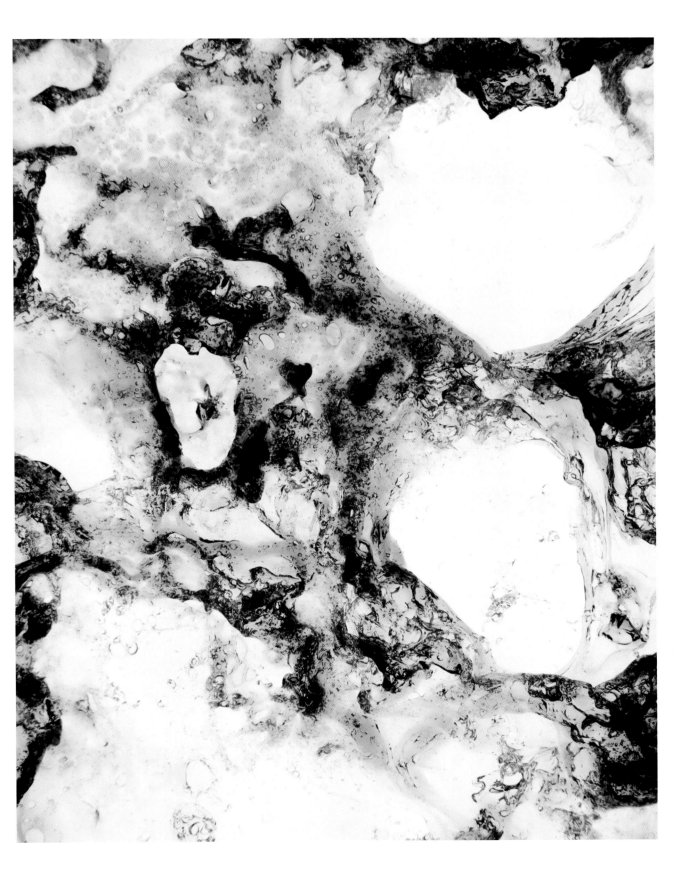

1 boîte

5 min. de préparation

15 min. ou 3 h de cuisson

1 h de repos

1 boîte de lait concentré sucré
(400 g)

Dulce de leche
Confiture de lait

Dans une Cocotte-Minute
- Placer la boîte de lait concentré sucré au fond d'une Cocotte-Minute.
- Recouvrir la boîte d'eau et fermer la Cocotte-Minute.
- Cuire à feu vif, pendant 15 à 20 minutes à partir de la mise en pression de la cocotte.
- Retirer du feu et laisser refroidir complètement la Cocotte-Minute avant de l'ouvrir (au moins 1 heure).

Dans une casserole
- Placer la boîte de lait concentré sucré couchée au fond d'une casserole.
- Recouvrir largement la boîte d'eau.
- Cuire à petits bouillons pendant au moins 3 heures, en rajoutant de l'eau bouillante régulièrement, de manière à ce que la boîte soit en permanence immergée dans l'eau.
- Retirer du feu et laisser refroidir complètement la boîte dans l'eau avant de l'ouvrir (au moins 1 heure).

Le lait concentré sucré apporte les acides aminés et les sucres nécessaires aux réactions de Maillard. Grâce à l'élévation de la température, les réactions de Maillard sont accélérées, et des composés bruns et aromatiques sont formés dans la boîte de conserve. Des réactions de caramélisation ont également lieu entre les différents sucres.

Remplaçons le lait concentré sucré par un aliment ou un mélange d'aliments contenant des protéines et des sucres (produit laitier sucré, viande, poisson, etc.), et chauffons-le à haute température pour obtenir des préparations aux notes aromatiques caractéristiques des réactions de Maillard.

6 personnes

15 min. de préparation

20 min. de cuisson

20 min. de repos

Pour la crème d'amandes
15 cl de crème liquide entière
50 g de poudre d'amande

Pour le café au whisky
30 cl de whisky
15 cl de sirop de sucre de canne
90 cl de café fort et chaud

Irish coffee
Crème d'amandes torréfiées, café au whisky

Mode opératoire

La crème d'amandes torréfiées
- Préchauffer le four à 150 °C.
- Étaler la poudre d'amande en fine couche sur une plaque de cuisson, et enfourner. Laisser torréfier 10 minutes, en brassant la poudre d'amande régulièrement.
- Dans une casserole, chauffer la crème avec la poudre d'amandes torréfiées.
- Aux premiers frémissements, retirer du feu, couvrir et laisser infuser 20 minutes.
- Passer la préparation au chinois pour éliminer les particules d'amandes.

Le café au whisky
- Préparer le café chaud.
- Dans une casserole, chauffer le whisky et le sirop de sucre de canne à feu moyen.
- Aux premiers frémissements, retirer du feu.

L'Irish coffee
- Dans chaque verre, introduire le mélange whisky-sirop de sucre de canne.
- Verser lentement et délicatement le café chaud par-dessus (en faisant couler le café le long de la paroi du verre).
- Servir immédiatement, accompagné de la crème d'amandes introduite grâce à une pipette ou ajoutée par-dessus le café.

La poudre d'amande apporte les acides aminés et les sucres nécessaires aux réactions de Maillard. Avec la température élevée du four, les réactions de Maillard sont accélérées, et des composés bruns et aromatiques sont formés. En infusant la poudre d'amande dans la crème liquide, la crème s'enrichit en notes aromatiques grillées et prend une légère coloration brune. Le café a subi le même traitement (la torréfaction) qui lui apporte des notes aromatiques et sa couleur caractéristique.

Pour obtenir des notes aromatiques intenses, torréfions des graines (pignons, noisettes, pistaches, etc.) avant de les incorporer à nos salades, nos pâtisseries ou nos boissons : réalisons ainsi du lait ou de la pâte d'amandes torréfiées, du pesto aux pignons torréfiés, ou encore du nougat aux graines torréfiées ; torréfions les farines avant de confectionner nos tartes et nos gâteaux : réalisons ainsi des sablés, des cookies, ou encore des tartelettes à la farine torréfiée.

L'(anti)oxydation

L'oxydation des fruits et des légumes correspond au noircissement observé lorsque l'on coupe un fruit ou un légume ou qu'il subit un choc. Dans ces deux cas, des cellules vivantes sont rompues et libèrent des composés (enzymes et molécules phénoliques) qui, lorsqu'ils sont mis en contact, réagissent. Les enzymes modifient les composés phénoliques, produisant ainsi des composés bruns. L'acide ascorbique, plus connu sous le nom de vitamine C, est un agent réducteur qui prévient les réactions d'oxydation.

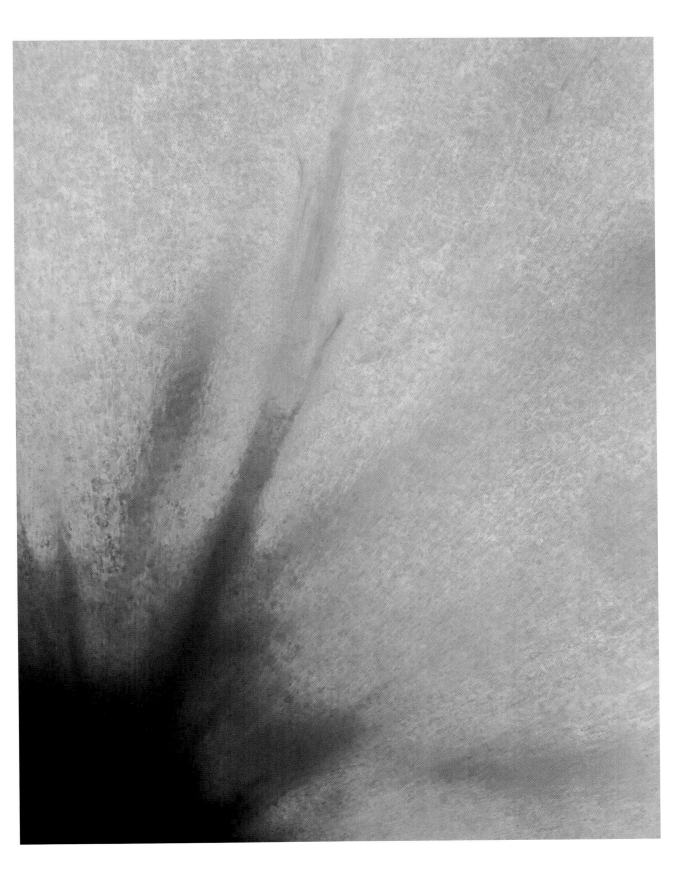

4 personnes
20 min. de préparation
35 min. de cuisson

Pour la crème d'avocat
1 avocat
20 g de sucre en poudre
Le jus d'½ citron

Pour les tacos de bananes
2 grosses bananes
Sucre en poudre

Doce de abacate
Crème d'avocat, tacos de bananes séchées

Mode opératoire

Les tacos de bananes séchées
- Préchauffer le four à 170 °C.
- À l'aide d'un économe ou d'une trancheuse électrique, tailler, dans la longueur de chaque banane, 6 belles lamelles de 1 à 2 mm d'épaisseur (après avoir pris soin d'éliminer les extrémités incurvées du fruit).
- Disposer les lamelles de bananes sur une plaque recouverte de papier cuisson et les saupoudrer de sucre. Enfourner et laisser déshydrater 35 minutes environ.
- Laisser refroidir à température ambiante. Décoller les tacos de bananes séchées ainsi obtenus.

La crème d'avocat
- Mixer la chair de l'avocat, le sucre et le jus de citron.

Le doce de abacate
- Servir la crème d'avocat accompagnée des tacos de bananes séchées.

Du jus de citron est ajouté à l'avocat mixé pour éviter le noircissement de ce fruit particulièrement oxydable. Le jus de citron contient de l'acide ascorbique (entre 30 et 40 mg pour 100 g de jus frais) qui va prévenir l'oxydation. La préparation à base d'avocat peut donc conserver sa couleur plus longtemps.

Remplaçons l'avocat par tout autre fruit ou légume facilement oxydable (pomme, pêche, nectarine, poire, banane, champignon, artichaut). Mixons-les avec un peu de jus de citron. Réalisons ainsi des purées de fruits et de légumes aux couleurs vives et appétissantes !

6 personnes

15 min. de préparation

1 h de réfrigération

Ingrédients

1 bouteille de vin blanc sec
  (sauvignon, jurançon, etc.)
50 g de sucre en poudre
1 sachet de sucre vanillé
2 cl de liqueur d'orange
  (type Cointreau®)

4 gouttes d'extrait de menthe
3 g d'acide ascorbique
2 pommes
1 mangue
200 g de fraises
20 cl de limonade

Sangria blanche
Sangria au vin blanc vitaminé, fruits

Mode opératoire

- Dans un grand saladier, mélanger le vin blanc sec, le sucre, le sucre vanillé, la liqueur d'orange, l'extrait de menthe et l'acide ascorbique.
- Découper les fruits en morceaux, puis les ajouter à la préparation à base de vin blanc.
- Placer la sangria et la limonade au réfrigérateur au moins 1 heure.
- Ajouter la limonade à la sangria et servir.

De l'acide ascorbique est ajouté à la sangria, en tant qu'antioxydant, pour éviter le noircissement des fruits. Les fruits peuvent donc conserver leur couleur plus longtemps.

Dans des préparations oxydables où le goût du citron n'est pas recherché, remplaçons-le par une petite quantité d'acide ascorbique en poudre (à hauteur de 0,3 g pour 100 g de préparation). Réalisons ainsi des marinades, des assaisonnements ou des smoothies vitaminés, capables de prévenir l'oxydation des fruits et des légumes.

La déshydratation à chaud

La déshydratation à chaud consiste à sécher les aliments, c'est-à-dire à éliminer l'eau des aliments par évaporation. Il existe d'autres techniques de déshydratation (telles que le salage, le fumage, la lyophilisation, etc.), qui se différencient de la déshydratation à chaud par la quantité d'eau restant dans le produit ou par la température à laquelle l'aliment est séché.

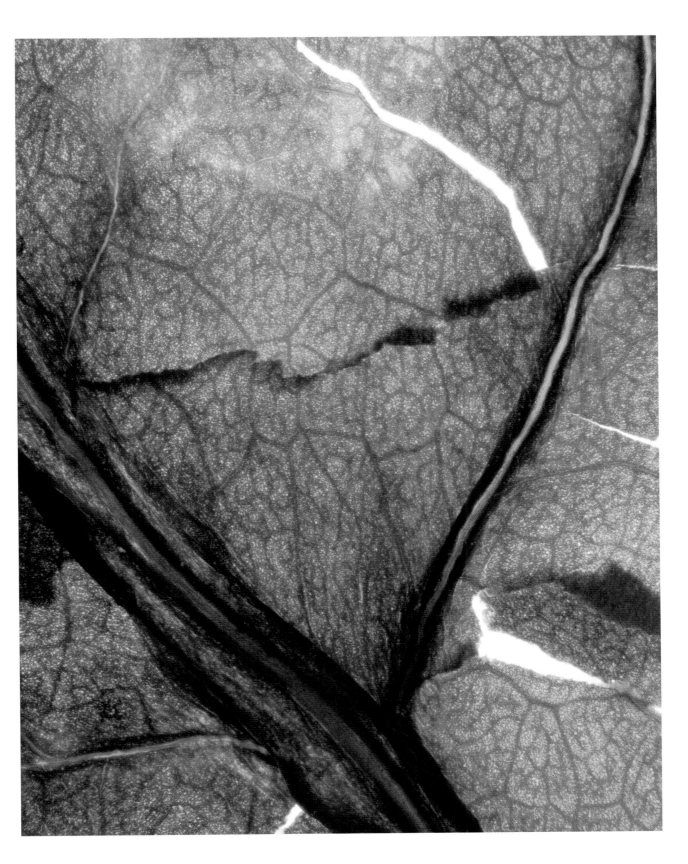

6 personnes

15 min. de préparation

3 h de cuisson

Ingrédients

10 olives noires à la grecque

2 gousses d'ail

Les zestes de 3 citrons

10 g de brins de coriandre fraîche

Persillade chinoise
Coriandre, zestes de citron, olives noires et ail déshydratés

Mode opératoire

- Préchauffer le four à 100 °C.
- Dénoyauter les olives noires si nécessaire et les hacher finement.
- Râper les gousses d'ail épluchées et dégermées.
- Sur une plaque à four recouverte de 4 morceaux de papier cuisson (1 pour chaque aliment à déshydrater), étaler les brins de coriandre, les zestes des citrons, l'ail râpé et les olives noires hachées, en couche mince.
- Enfourner et déshydrater les zestes de citron pendant 20 minutes, l'ail râpé pendant 30 minutes, les brins de coriandre pendant 45 minutes et les olives noires pendant 3 heures.
- Effeuiller la coriandre déshydratée et la mélanger aux 3 autres éléments.
- Servir sur une viande grillée.

Les aliments sont déshydratés grâce à la chaleur du four : l'eau qu'ils contiennent est évaporée. En fonction de l'aliment, de sa richesse en eau et de sa taille, le temps de déshydratation varie.

Remplaçons les ingrédients utilisés dans cette recette par d'autres aromates, des fruits, des légumes, de la charcuterie (jambon cru, chorizo, etc.). Taillons-les : en tranches fines pour réaliser des chips originales (voir tacos de bananes séchées p. 82), ou en tous petits morceaux pour réaliser des mélanges « saveurs » maison, des crumbles surprenants. Puis séchons-les au four aux alentours de 100 °C, pendant un temps proportionnel à la taille des aliments à déshydrater et à la quantité d'eau qu'ils contiennent. Une méthode originale pour personnaliser nos dîners, mais aussi pour conserver des aliments fragiles ou hors saison !

8 petits temakis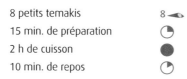

15 min. de préparation

2 h de cuisson

10 min. de repos

Ingrédients

100 g de piquillos
  (petits poivrons doux espagnols)
50 g d'abricots secs
2,5 cl d'eau
200 g de fromage frais
  (type St Môret®)

Temaki piquillo
Film de piquillo-abricot, fromage frais

Mode opératoire

- Préchauffer le four à 100 °C.
- Mixer les piquillos avec les abricots secs et l'eau.
- Étaler cette préparation en couche de 1 à 2 mm d'épaisseur, sur une plaque en silicone.
- Enfourner et sécher pendant au moins 2 heures. Laisser refroidir à température ambiante (10 minutes environ).
- Couper le film obtenu en 8 petits carrés. Rouler chaque carré en cornet.
- Fourrer les cornets de piquillo avec du fromage frais.
- Servir immédiatement.

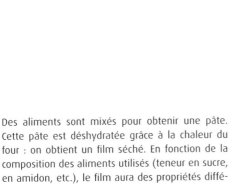

Des aliments sont mixés pour obtenir une pâte. Cette pâte est déshydratée grâce à la chaleur du four : on obtient un film séché. En fonction de la composition des aliments utilisés (teneur en sucre, en amidon, etc.), le film aura des propriétés différentes. Ici, le sucre contenu dans les aliments (en particulier l'abricot sec) apporte au film de l'élasticité, qui permet de lui donner une forme (celle d'un cornet par exemple).

Remplaçons la purée de piquillos-abricots secs par une autre purée de fruits et/ou de légumes (carottes, petits pois, pruneaux, etc.), ou par une purée de féculents (purée de « riz au lait », purée de pommes de terres violettes, etc.). Étalons-la en fine couche sur une plaque, et séchons-la au four aux alentours de 100 °C. Réalisons ainsi des films alimentaires plus ou moins résistants (selon la quantité de sucre et/ou la présence ou non d'amidon). Nem, maki, cigare ou cornet : enrobons ainsi nos préparations sucrées ou salées !

La migration

La migration est le mouvement de composés d'un milieu vers un autre. Elle peut être générée par des différences de concentration du composé dans chacun des milieux (osmose par exemple), par des forces physiques (capillarité par exemple), etc.

Ces migrations ont pour résultat des décolorations, des colorations, des aromatisations, etc.

Les vitesses de migration de composés sont accélérées par l'augmentation de la température.

6 personnes

5 min. de préparation

35 min. de cuisson

4 min. de repos

○○○
○○○

Ingrédients

Pour les perles mentholées
40 g de perles du Japon
  (perles de tapioca)
30 cl d'eau
15 cl de sirop de menthe

Pour le thé vert
6 sachets de thé vert
6 à 12 morceaux de sucre

Thé aux perles
Perles du Japon mentholées, thé vert

Mode opératoire

Les perles du Japon mentholées
○ Dans une casserole, chauffer l'eau avec le sirop de menthe. Ajouter les perles du Japon au liquide bouillant et cuire à feu doux 30 minutes environ, en remuant de temps en temps.
○ Retirer du feu et rincer les perles du Japon sous l'eau froide, dans une passoire.

Le thé aux perles
○ Dans chaque verre, placer 1 à 2 cuillerées à soupe de perles du Japon mentholées, 1 à 2 morceaux de sucre selon le goût et 1 sachet de thé vert.
○ Recouvrir d'eau bouillante et laisser infuser 3 à 4 minutes.
○ Retirer le sachet de thé et servir immédiatement avec une paille.

Le tapioca est un produit sec. Lorsqu'on le place dans un liquide, une migration du liquide vers l'intérieur des perles de tapioca s'opère. Dans cette recette, le sirop de menthe contient de l'eau, des colorants, des arômes, etc. Tous ces composés migrent vers l'intérieur des perles de tapioca. On obtient des perles de tapioca hydratées, colorées en vert et aromatisées à la menthe.

Remplaçons les perles de tapioca par tout autre aliment sec (riz, couscous, pâtes, etc.) et le sirop de menthe par tout autre liquide coloré et/ou aromatisé (sirop de fraise, jus de persil ou de betterave, etc.). Chauffons ces deux éléments ensemble. Réalisons ainsi des plats pleins de goûts et de couleurs !

1 pot de confiture
5 min. de préparation
1 h 15 min. de cuisson
1 h 30 min. de repos

1 grosse pomme granny smith
  (à peine mûre)
100 g de chou rouge
40 cl d'eau
Le jus d'½ citron

Sucre en poudre
  (la 1/2 du poids de jus obtenu)
1 clou de girofle
1 étoile de badiane
1 bâton de cannelle

Condiment arrangé
Gelée épicée de chou rouge-pomme

Mode opératoire

○ Placer une petite assiette au congélateur.
○ Laver la pomme et la découper en petits bâtonnets, en conservant la peau et les pépins.
○ Découper le chou rouge en fines lanières.
○ Dans une casserole, placer la pomme et le chou rouge, puis verser l'eau. Cuire à demi-couvert et à petits bouillons pendant 45 minutes.
○ Filtrer la préparation au travers d'une passoire fine, en pressant fortement les pommes ramollies et le chou rouge avec le dos d'une cuillère, de manière à en extraire le maximum de jus. Pour obtenir un liquide translucide, passer le jus obtenu au travers d'un torchon propre.
○ Peser le jus obtenu pour déterminer la quantité de sucre à ajouter (la moitié).
○ Dans une casserole, chauffer le jus avec le sucre, le jus de citron et les épices, à petits bouillons. Enlever les épices au bout de 15 minutes et poursuivre la cuisson pendant encore 15 minutes environ : une goutte de cette préparation doit gélifier instantanément au contact de l'assiette glacée quand la gelée est prête.
○ Mettre en bocal. Laisser refroidir à température ambiante (1 heure environ).
○ Servir en accompagnement de gibiers, de viandes, etc.

Exploration

Un bouillon est préparé en ajoutant du chou rouge, des épices et de la pomme à de l'eau chaude. De nombreux composés des différents ingrédients migrent dans l'eau du bouillon : des pigments du chou, des molécules aromatiques des épices et des pectines des pommes. Lors du refroidissement, les pectines gélifient en présence de sucre. On obtient une gelée de couleur rouge et au goût d'épices. Lorsque le jus de citron est ajouté, la couleur du bouillon change, car l'acidification modifie la structure des pigments.

Innovation

Remplaçons le chou rouge et les pommes par d'autres aliments colorés et savoureux. Chauffons-les dans de l'eau ou dans le liquide de notre choix (vin blanc ou rouge, cidre, bière, etc.). Réalisons ainsi des bouillons colorés et pleins de saveurs, à consommer tels quels, réduits ou gélifiés pour accompagner des viandes, des poissons, etc.

Le soufflage

Le soufflage est l'augmentation de volume d'une préparation suite à la dilatation ou à la formation de gaz lors de la cuisson. Le gaz peut être préalablement incorporé à la préparation, ou être issu d'un changement d'état (transformation de l'eau en vapeur d'eau). Le soufflage sera plus ou moins important selon la quantité de gaz et la résistance de la préparation à sa fuite.

Ingrédients

Pour la sauce caramel

120 g de sucre en poudre

4 cl d'eau

40 g de beurre salé

1 c. à c. de mélange d'épices

pour pain d'épices

Pour le pop-corn

60 g de maïs à pop-corn

2 c. à s. d'huile de tournesol

Entracte
Pop-corn, sauce caramel-pain d'épices

Mode opératoire

Le pop-corn

∘ Dans une grande casserole, chauffer l'huile de tournesol.

∘ Ajouter le maïs à pop-corn dans la matière grasse bien chaude et couvrir.

∘ Laisser souffler tout en agitant la casserole de façon à bien répartir la chaleur, jusqu'à ce que tous les grains aient éclaté.

∘ Débarrasser les grains de maïs soufflés dans un saladier.

La sauce caramel-pain d'épices

∘ Dans une grande casserole, chauffer le sucre avec l'eau, à feu moyen, jusqu'à obtenir une coloration rousse (15 à 20 minutes).

∘ Retirer du feu, ajouter le mélange pour pain d'épices et le beurre en petits cubes en mélangeant au fouet (attention aux projections).

L'entracte

∘ Verser rapidement le pop-corn dans la sauce caramel chaude, en deux ou trois fois, en mélangeant bien entre chaque ajout à l'aide d'une spatule en bois pour bien enrober le pop-corn.

∘ Étaler le pop-corn caramélisé sur une plaque de cuisson ou une feuille de papier cuisson, et laisser refroidir à température ambiante.

∘ Détacher grossièrement les grains de maïs éclatés et servir.

Le soufflage des grains de maïs est dû à la température élevée de l'huile de cuisson. L'élévation de
la température, dans le grain de maïs, provoque
une transformation de la petite quantité d'eau sous
forme de gaz (la vapeur d'eau) et une gélatinisation
(gonflement) de l'amidon contenu dans le grain.
L'augmentation de pression qui en résulte fait écla-
ter le grain de maïs : on obtient du pop-corn.

Remplaçons le maïs à pop-corn par des ingrédients
contenant de l'amidon et une petite quantité d'eau
(riz, grains de blé ou quinoa précuits puis partiellement séchés, vermicelles ou feuilles de riz, etc.),
et chauffons-les à température élevée, dans une
casserole fermée avec un peu de matière grasse,
ou dans un bain d'huile de friture. Créons ainsi
des « pop » de toutes sortes : crumble de quinoa
soufflé, chips de feuilles de riz, nid de vermicelles
croquant, etc.

20 petites fouées

30 min. de préparation

5 min. de cuisson

1 h de repos

Ingrédients

250 g de farine de seigle
12,5 cl d'eau tiède
7 g de levure de boulanger
  (fraîche)
3 g de sel
Au choix : rillettes, pâte à tartiner,
confiture, épices, huile d'olive, etc.

La fouée
Petit pain de seigle soufflé

Mode opératoire

o Diluer la levure de boulanger dans un peu d'eau tiède.

o Mélanger et laisser reposer au moins 10 minutes.

o Dans un saladier, mettre la farine de seigle. Creuser un puits au centre et répartir le sel sur les bords (de manière à incorporer le sel en dernier, car le sel empêche l'action de la levure).

o Ajouter la préparation de levure de boulanger au centre de la farine, puis l'eau tiède par petites quantités, en mélangeant en partant du centre et en progressant vers les bords, jusqu'à former une pâte.

o Pétrir la pâte pendant 15 minutes. La pâte doit être lisse.

o Former une boule et laisser lever la pâte recouverte d'un torchon propre pendant au moins 1 heure, dans un endroit tiède.

o Préchauffer le four à puissance maximale équipé d'une plaque de cuisson en métal à l'intérieur.

o Abaisser très finement des portions de pâte de 20 g environ au rouleau à pâtisserie, de manière à obtenir des carrés de pâte de 1 mm d'épaisseur.

o Enfourner rapidement les carrés de pâte sur la plaque en métal très chaude. Une fois qu'ils sont soufflés (c'est très rapide, 1 à 2 minutes), laisser légèrement dorer les petits pains avant de les sortir du four.

o Les servir fourrés de rillettes, de pâte à tartiner, etc., ou simplement assaisonnés d'un trait d'huile d'olive et de quelques épices.

Le soufflage de la pâte est dû à la température élevée du four lors de la cuisson. L'élévation de la température de la pâte provoque une dilatation de l'air apporté lors du pétrissage, une dilatation du gaz libéré lors de la fermentation, ainsi qu'une évaporation de l'eau sous forme de gaz (la vapeur d'eau). L'augmentation du volume des gaz qui en résulte et la formation d'un réseau de gluten lors du pétrissage, font souffler la pâte. Quand on abaisse la pâte très finement, une fine pellicule se soulève lors du soufflage. Sous l'action de la chaleur, cette pellicule forme une « croûte hermétique » : on obtient un pain creux.

Utilisons la propriété des farines à développer un réseau lors de pétrissage pour réaliser de petits pains soufflés, de toutes tailles et de toutes formes, à la farine de blé, à la farine de blé complète, à la farine aux céréales, etc. Attention, de nombreuses farines ne contiennent pas de gluten (sarrasin, châtaigne, pois chiches, maïs, etc.), il faudra donc les mélanger à de la farine de blé pour obtenir ce résultat.

La sphérification

La sphérification consiste à mettre une préparation liquide sous forme de sphères.

Cette technique peut être réalisée grâce à l'utilisation d'alginate de sodium (gélifiant extrait d'algues brunes) qui a la propriété de gélifier en présence de calcium.

L'alginate de sodium est solubilisé dans la préparation que l'on veut sphérifier, puis la préparation est plongée dans un bain de calcium. Une pellicule gélifiée se forme alors instantanément en surface et s'épaissit vers l'intérieur (le calcium entre dans la préparation et forme un gel avec l'alginate de sodium contenu dans celle-ci). On obtient une sphère au cœur liquide, instable dans le temps (le calcium progressant vers l'intérieur, la sphère gélifiera complètement). Ces sphères doivent donc être consommées immédiatement.

12 grosses sphères

20 min. de préparation

30 min. de repos

2 h de congélation

Ingrédients

Pour les sphères
20 cl de pur jus de pomme
5 cl de sirop de caramel
2,6 g d'alginate de sodium

Pour le bain de calcium
30 cl d'eau
3 g de sel de calcium

Pour les shots
Vodka

Shot ball
Sphère pomme-caramel, vodka

Mode opératoire

Le bain de calcium
- Mélanger le sel de calcium et l'eau en fouettant jusqu'à complète dissolution de la poudre de calcium.
- Laisser reposer au moins 30 minutes

Les sphères pomme-caramel
- Mélanger le jus de pomme et le sirop de caramel. Ajouter l'alginate de sodium en pluie fine tout en fouettant.
- Mixer la préparation, en évitant d'incorporer trop d'air, et laisser reposer au moins 30 minutes.
- Remplir des petits moules demi-sphériques de la préparation, et placer au congélateur au moins 2 heures (cette opération est destinée à obtenir des sphères homogènes ; il est possible de réaliser des sphères sans congélation en utilisant une cuillère incurvée pour plonger la préparation d'un geste rapide dans le bain de calcium).
- Plonger les sphères congelées dans le bain de calcium pendant au moins 1 minute (les sphères ne doivent pas coller aux parois du récipient ni flotter en surface, pour que la gélification soit uniforme).
- Les plonger ensuite délicatement dans un bain d'eau claire (l'utilisation d'une cuillère percée ou d'une petite passoire est conseillée pour la manipulation des sphères et un meilleur égouttage).

Le shot ball
- Placer une sphère dans chaque verre à shot et verser délicatement la vodka par-dessus (ou vice versa).
- Servir lorsque les sphères sont entièrement décongelées, en conseillant à vos invités de boire la vodka, puis de faire claquer la sphère en bouche.

Attention : jeter les préparations à base d'alginate de sodium à la poubelle, et non dans les canalisations pour ne pas les obstruer.

L'alginate de sodium est solubilisé dans le mélange jus de pomme-caramel. Lorsque les demi-sphères congelées sont plongées dans le bain de calcium, une pellicule gélifiée se forme instantanément en surface et permet de sphérifier la préparation. Bien que les sphères soient rincées à l'eau, il reste toujours du calcium en surface : il va continuer à progresser vers l'intérieur. On obtiendra une sphère totalement gélifiée.

Remplaçons le mélange pomme-caramel par une autre préparation liquide de notre choix (jus de fruit, infusion, purée de légumes liquide, etc.). Ajoutons de l'alginate de sodium (à hauteur de 1 g pour 100 g de préparation), et sphérifions-la par immersion dans un bain de calcium (à hauteur de 1 g pour 100 g d'eau). Réalisons ainsi des sphères au cœur liquide, à servir seules, ou en accompagnement d'une boisson ou d'un plat froid ou chaud.

6 personnes
15 min. de préparation
30 min. de repos

Ingrédients

Pour les perles de vinaigre
5 cl de vinaigre de framboise
10 cl d'eau pauvre en calcium
  (60 mg/l environ)
2 cl de sirop de sucre de canne
1,7 g d'alginate de sodium
3 gouttes de colorant alimentaire
  rouge

Pour le bain de calcium
30 cl d'eau
3 g de sel de calcium

Pour les huîtres
3 douzaines d'huîtres

Huître coquette
Perle de vinaigre de framboise, huître fraîche

Mode opératoire

Le bain de calcium
○ Mélanger le sel de calcium et l'eau en fouettant jusqu'à complète dissolution de la poudre de calcium.
○ Laisser reposer au moins 30 minutes.

Les perles de vinaigre de framboise
○ Mélanger l'eau pauvre en calcium au sirop de sucre de canne. Ajouter l'alginate de sodium en pluie fine tout en fouettant.
○ Mixer la préparation, en évitant d'incorporer trop d'air, et ajouter le vinaigre de framboise par petites quantités et en fouettant, puis le colorant alimentaire rouge. Laisser reposer au moins 30 minutes.
○ Pendant ce temps, ouvrir les huîtres.
○ Mixer à nouveau la préparation de vinaigre de framboise pour la liquéfier. Remplir une seringue ou une pipette de la préparation et verser la préparation goutte à goutte dans le bain de calcium. Après 30 secondes environ, récupérer les perles formées à l'aide d'une cuillère percée ou d'une passoire.
○ Rincer les perles dans un bain d'eau claire.

L'huître coquette
○ Disposer, à l'intérieur de chaque huître ouverte, une à plusieurs perles selon leur taille, et servir immédiatement.
Attention : jeter les préparations à base d'alginate de sodium à la poubelle, et non dans les canalisations pour ne pas les obstruer.

La préparation à sphérifier est acide (à base de vinaigre). L'alginate de sodium, insoluble dans les préparations acides, est d'abord solubilisé en deux temps. L'alginate de sodium est solubilisé dans de l'eau. Puis le vinaigre est versé progressivement, ce qui diminue lentement l'acidité de la préparation contenant de l'alginate de sodium. Cette technique de solubilisation en deux temps permet de sphérifier des préparations acides.

Remplaçons le mélange vinaigre de framboise-sirop de sucre de canne par tout autre liquide de notre choix, acide ou non (eau de fleur d'oranger, jus de citron, liquide épicé, etc.). Ajoutons de l'alginate de sodium (à hauteur de 1 g pour 100 g de préparation) et sphérifions-le par immersion dans un bain de calcium (à hauteur de 1 g pour 100 g d'eau). Réalisons ainsi des perles de « saveurs » à servir en assaisonnement de salades ou de boissons (champagne, lait aromatisé, etc.).

La sphérification inversée

La sphérification inversée est un autre type de sphérification (voir p.104). Dans ce cas, le calcium nécessaire à la gélification est contenu dans la préparation que l'on veut sphérifier. La préparation est plongée dans un bain d'alginate de sodium. Une pellicule gélifiée se forme alors instantanément en surface et s'épaissit vers l'extérieur (le calcium sort de la préparation et forme un gel avec l'alginate de sodium contenu dans le bain). On obtient une sphère au cœur liquide, stable dans le temps.

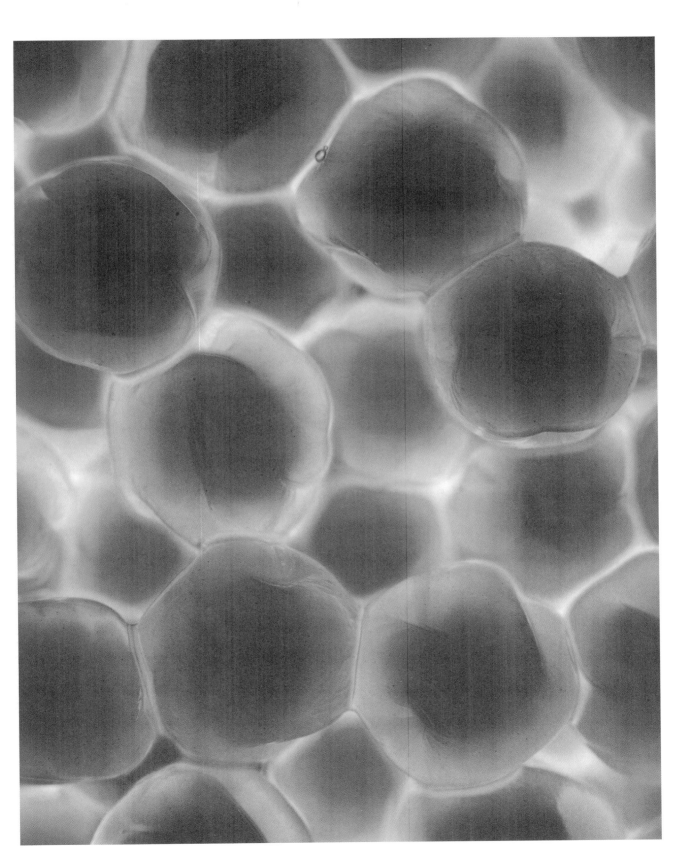

12 grosses sphères

20 min. de préparation

45 min. de repos

2 h de congélation

Ingrédients

Pour le bain d'alginate
30 cl d'eau pauvre en calcium
   (60 mg/l environ)
1,5 g d'alginate de sodium

Pour les sphères de yaourt grec
1 yaourt grec
1 grosse gousse d'ail
Sel, poivre

Pour le concombre
1 concombre
1 c. à s. d'huile d'olive
1 à 2 c. à s. de jus de citron
Gros sel

Tzatziki maboul
Sphère de yaourt grec, concombre

Mode Opératoire

Le bain d'alginate de sodium
- Verser l'alginate de sodium en pluie fine dans l'eau pauvre en calcium, en mélangeant au fouet.
- Mixer la préparation, en évitant d'incorporer trop d'air, et laisser reposer au moins 30 minutes.

Les sphères de yaourt grec
- Éplucher, dégermer et râper la gousse d'ail. L'ajouter au yaourt. Saler, poivrer et mélanger.
- Remplir des petits moules demi-sphériques de la préparation au yaourt, et placer au congélateur au moins 2 heures (cette opération vise à obtenir des sphères homogènes ; il est possible de réaliser des sphères sans congélation en utilisant une cuillère incurvée pour plonger la préparation d'un geste rapide dans le bain de calcium).
- Plonger les sphères congelées dans le bain d'alginate de sodium pendant au moins 30 secondes en évitant qu'elles ne se touchent (l'utilisation d'une cuillère percée ou d'une petite passoire est conseillée pour la manipulation des sphères et un meilleur égouttage).
- Laisser décongeler les sphères à température ambiante.

Le concombre
- Éplucher et épépiner le concombre, puis le tailler en très fines lamelles ; saler et laisser dégorger le concombre au moins 15 minutes. Le rincer légèrement et l'essorer.
- Ajouter l'huile d'olive et le jus de citron. Rectifier l'assaisonnement.

Le tzatziki maboul
- Servir chaque sphère de yaourt grec accompagnée de lamelles de concombre.

Attention : jeter les préparations à base d'alginate de sodium à la poubelle, et non dans les canalisations pour ne pas les obstruer.

Le yaourt est utilisé pour sa richesse naturelle en calcium. Lorsque la préparation à base de yaourt est plongée dans le bain d'alginate de sodium, une pellicule gélifiée se forme instantanément en surface et permet de sphérifier la préparation. Une fois la sphère sortie du bain d'alginate de sodium, la pellicule gélifiée n'évolue plus. Grâce à cette technique de sphérification inversée, on obtient une sphère de yaourt au cœur liquide.

Remplaçons le yaourt grec par un autre produit laitier riche en calcium (yaourt aromatisé ou aux fruits, fromage frais, crème fleurette, etc.), et sphérifions-le par immersion dans un bain d'alginate de sodium (à hauteur de 0,5 g pour 100 g d'eau de source pauvre en calcium). Réalisons ainsi des sphères lactées au cœur liquide, dans lesquelles nous n'hésiterons pas à inclure des épices et des aromates, des copeaux de chocolat, des zestes d'agrumes, etc. Une manière originale de revisiter certains classiques contenant des produits laitiers (lassi indien, sauce tandoori, etc.).

12 grosses sphères

20 min. de préparation

5 min. de cuisson

30 min. de repos

2 h de congélation

Pour le bain d'alginate
30 cl d'eau pauvre en calcium
   (60 mg/l environ)
1,5 g d'alginate de sodium

Pour les sphères de chorizo
20 cl de crème liquide légère
60 g de chorizo « fort »

Pour le chorizo a la sidra
1 bouteille de cidre brut

Chorizo a la sidra
Sphère de chorizo, cidre brut

Le bain d'alginate de sodium
- Verser l'alginate de sodium en pluie fine dans l'eau pauvre en calcium, tout en fouettant.
- Mixer la préparation, en évitant d'incorporer trop d'air, et laisser reposer au moins 30 minutes

Les sphères de chorizo
- Couper le chorizo en petits morceaux.
- Dans une casserole, chauffer la crème liquide avec le chorizo. Aux premiers frémissements, retirer du feu et mixer. Laisser refroidir à température ambiante (20 minutes environ), puis passer au chinois.
- Remplir des petits moules demi-sphériques de la préparation, et placer au congélateur au moins 2 heures (cette opération est destinée à obtenir des sphères homogènes ; il est possible de réaliser des sphères sans congélation en utilisant une cuillère incurvée pour plonger la préparation d'un geste rapide dans le bain de calcium).
- Plonger les sphères congelées dans le bain d'alginate de sodium pendant au moins 30 secondes en évitant qu'elles ne se touchent (l'utilisation d'une cuillère percée ou d'une petite passoire est conseillée pour la manipulation des sphères et un meilleur égouttage).
- Laisser décongeler les sphères à température ambiante.

Le chorizo a la sidra
- Servir les sphères de chorizo accompagnées d'un verre de cidre brut bien frais.

Attention : jeter les préparations à base d'alginate de sodium à la poubelle, et non dans les canalisations pour ne pas les obstruer.

La crème est utilisée pour sa richesse naturelle en calcium. Lorsque la préparation à base de crème est plongée dans le bain d'alginate de sodium, une pellicule gélifiée se forme instantanément en surface et permet de sphérifier la préparation. Une fois la sphère sortie du bain d'alginate de sodium, la pellicule gélifiée n'évolue plus. Grâce à cette technique de sphérification inversée, on obtient une sphère de crème au chorizo au cœur liquide.

Remplaçons le chorizo par tout autre aliment fort en goût (haddock fumé, ail, cacao, etc.). Chauffons-le avec la crème et laissons-le infuser pour en capter « l'essence ». Sphérifions cette préparation par immersion dans un bain d'alginate de sodium (à hauteur de 0,5 g pour 100 g d'eau de source pauvre en calcium). Réalisons ainsi des sphères de crème « surprise » au cœur liquide, en petites bouchées individuelles ou en assaisonnement d'un plat.

Le gel cassant

L'agar-agar est un gélifiant extrait d'algues rouges. Contrairement à la gélatine (protéine), ce gélifiant est un polysaccharide (molécule constituée de sucres). Il se dissout à chaud dans des préparations contenant de l'eau : une ébullition de 1 à 3 minutes est conseillée. La préparation gélifie à 35 °C environ. Les gels d'agar-agar sont cassants et légèrement opaques. Si le gel d'agar-agar est réchauffé à plus de 80 °C, il fond.

1 pot de pâte à tartiner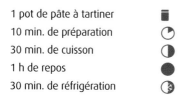

10 min. de préparation

30 min. de cuisson

1 h de repos

30 min. de réfrigération

Ingrédients

Pour le sel à râper
25 cl d'eau
15 g de sel
5 g d'agar-agar

Pour le Carambar® à tartiner
16 Carambar®
40 cl de crème liquide entière

Carasel
Sel à râper, Carambar® à tartiner

Mode opératoire

Le sel à râper
- Dans une casserole, chauffer l'eau et le sel. Ajouter l'agar-agar en pluie fine et mélanger au fouet, en évitant d'incorporer trop d'air. Porter à ébullition pendant 2 à 3 minutes en remuant.
- Retirer du feu et couler la préparation dans un petit moule.
- Laisser refroidir à température ambiante (30 minutes environ), puis placer au réfrigérateur (30 minutes environ).

Le Carambar® à tartiner
- Dans une casserole, chauffer la crème à feu doux.
- Ajouter les Carambar® à la crème chaude et poursuivre la cuisson en remuant régulièrement, jusqu'à ce que les Carambar® aient entièrement fondus.
- Laisser réduire la préparation à feu moyen en remuant régulièrement, jusqu'à obtenir la consistance d'une crème épaisse (15 à 20 minutes).
- Transvaser la pâte à tartiner Carambar® dans un pot et laisser refroidir à température ambiante (30 minutes environ).
- Conserver au réfrigérateur.

Le carasel
- Servir la pâte à tartiner Carambar® sur des tranches de pain, avec quelques copeaux de sel râpé par-dessus.

Dans cette recette, c'est la propriété cassante du gel d'agar-agar qui est utilisée. Les gels d'agar-agar ont une bonne tenue et ne sont pas élastiques. Il est donc facile de les râper. En bouche, ce gel ne fond pas et permet donc de pouvoir mâcher, contrairement à un gel de gélatine par exemple.

Pour apporter une touche sucrée, salée, amère ou épicée à nos plats sous une forme inhabituelle, partons d'une préparation de notre choix (eau aromatisée, jus de fruits et de légumes, bouillon épicé, Campari®, etc.). Ajoutons de l'agar-agar (à hauteur de 1 à 2 g pour 100 g de préparation). Chauffons ces deux éléments ensemble (1 à 3 minutes d'ébullition) et coulons la préparation ainsi obtenue dans des moules de formes variées ou sur une plaque (pour obtenir un film gélifié). Laissons refroidir et incorporons ce gel à nos plats froids ou chauds. En râpé, en copeaux, en cristaux, en spaghettis, en pâte à ravioles, etc., jouons sur les présentations !

Ingrédients

Pour les perles de miel

50 g de miel liquide

5 cl d'eau

1 g d'agar-agar

50 cl d'huile de pépin de raisin
ou de tournesol très froide

Pour le camembert au four

1 camembert

Nid d'abeille
Perles de miel, camembert au four

Mode opératoire

Les perles de miel

- Placer l'huile de tournesol au réfrigérateur quelques heures avant la préparation de la recette.
- Dans une casserole, chauffer l'eau et le miel. Ajouter l'agar-agar en pluie fine et mélanger au fouet en évitant d'incorporer trop d'air. Porter à ébullition pendant 2 à 3 minutes en remuant.
- Retirer du feu et laisser refroidir 10 minutes à température ambiante.
- Prélever la préparation au miel à l'aide d'une seringue ou d'une pipette, et la verser goutte à goutte dans le récipient haut rempli d'huile très froide.
- Récupérer les perles dans une petite passoire et les rincer sous l'eau claire pour enlever l'excédent d'huile.
- Réserver les perles de miel.

Le camembert au four

- Préchauffer le four à 180 °C.
- Placer le camembert dans une feuille d'aluminium (en papillote).
- Enfourner et cuire 30 minutes.

Le nid d'abeille

- Creuser une cavité au centre du camembert juste sorti du four et introduire les perles de miel.
- Servir immédiatement.

Lorsque l'on verse une préparation aqueuse dans de l'huile, la préparation ne s'y mélange pas et prend donc naturellement la forme de gouttes pour des raisons physiques. Dans cette recette, c'est la rapidité de prise en gel qui est primordiale. L'utilisation d'huile très froide accélère le refroidissement de la préparation, et donc la prise en gel des gouttes formées. Les gels d'agar-agar tiennent à chaud, ces gouttes peuvent donc être servies sur des préparations chaudes.

Pour obtenir des petites perles de « goût », partons d'une préparation de notre choix (lait de coco, curaçao, citron vert, etc.). Ajoutons de l'agar-agar (à hauteur de 1 g pour 100 g de préparation). Chauffons ces deux éléments ensemble (1 à 3 minutes d'ébullition), et versons la préparation ainsi obtenue goutte à goutte dans un bain d'huile très froide. Incorporons ces perles à nos plats froids ou chauds. Jouons ainsi sur les contrastes de texture : des petites perles « cassantes » à l'intérieur d'un fromage moelleux, d'un liquide velouté (milk-shake, soupe), etc.

Le gel élastique

Le carraghénane est un gélifiant extrait d'algues rouges. Contrairement à la gélatine (protéine), ce gélifiant est un polysaccharide (molécule constituée de sucres). Il se dissout à chaud dans des préparations contenant de l'eau à 80 °C ; d'un point de vue pratique, la préparation est portée à ébullition. La préparation gélifie à 40 °C environ. Les gels de carraghénane sont élastiques et transparents. Si le gel de carraghénane est réchauffé à plus de 65 °C, il fond.

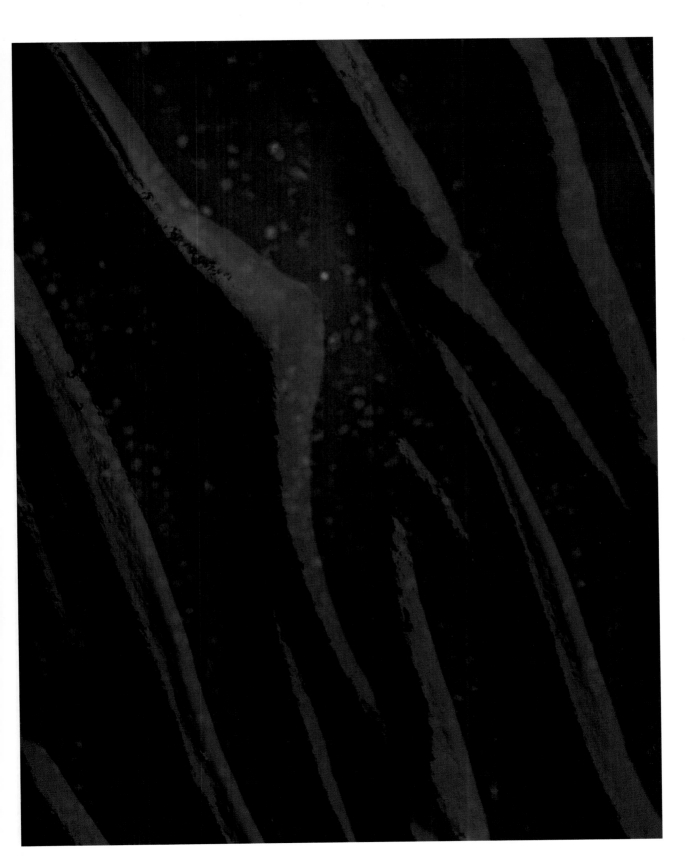

6 personnes

15 min. de préparation

10 min. de cuisson

30 min. de repos

Pour le flan coco
150 g de lait concentré sucré
30 cl de lait de coco
30 g de noix de coco râpée
5 g de carraghénane

Pour les spaghettis de curaçao
20 cl de curaçao
4 g de carraghénane

Bleu-manger minute
Flan coco, spaghettis de curaçao

Mode opératoire

Le flan coco
○ Dans une casserole, chauffer le lait de coco et le lait concentré sucré. Ajouter le carraghénane en pluie fine et bien mélanger au fouet, en évitant d'incorporer trop d'air.
○ Aux premiers frémissements, ajouter la noix de coco râpée, puis retirer du feu et couler rapidement la préparation dans 6 petits moules individuels.
○ Laisser refroidir à température ambiante (20 minutes environ), puis placer au réfrigérateur.

Les spaghettis de curaçao
○ Dans une casserole, chauffer le curaçao. Ajouter le carraghénane en pluie fine et bien mélanger au fouet, en évitant d'incorporer trop d'air.
○ Aux premiers frémissements, baisser le feu (doux). Raccorder une seringue à une des extrémités d'un tube en silicone alimentaire et aspirer le curaçao par l'autre extrémité, directement dans la casserole. Détacher le tube de la seringue et le plonger dans un bain d'eau froide en maintenant les 2 extrémités vers le haut. Laisser refroidir quelques minutes. Renou-veler l'opération 5 fois. Extraire les spaghettis de curaçao des tubes en poussant à l'aide de la seringue.
Ou :
○ Aux premiers frémissements, retirer du feu. Couler rapidement le curaçao sur une plaque, sur 1 à 2 mm d'épaisseur. Laisser refroidir à température ambiante (10 minutes environ). Découper au couteau des tagliatelles de gelée de curaçao.

Le bleu-manger minute
○ Démouler les flans coco, les garnir de spaghettis de curaçao et servir.

Exploration

Dans cette recette, ce sont les propriétés d'élasticité et de gélification rapide qui sont utilisées. D'une part, l'élasticité des gels de carraghénane induit une bonne résistance à la déformation. La manipulation des spaghettis est donc facilitée. D'autre part, la gélification du carraghénane à des températures proches de 40 °C implique une prise en gel rapide du flan.

Innovation

Pour confectionner des flans ou des gelées en quelques minutes seulement et sans œuf, partons de la préparation de notre choix (crèmes épicées, jus de fruits ou de légumes, liqueurs, etc.). Ajoutons du carraghénane (à hauteur de 1 à 2 g pour 100 g de préparation). Chauffons ces deux éléments ensemble et coulons la préparation ainsi obtenue dans des moules ou sur une plaque. Laissons refroidir et dégustons, ou travaillons ce gel élastique en tagliatelles, en pâte à ravioles, etc.

6 pims

25 min. de préparation

20 min. de cuisson

1 h 40 min. de repos

Pour la génoise chocolatée
3 blancs d'œufs + 4 jaunes
40 g de sucre en poudre
1 c. à c. de sucre en poudre
35 g de cassonade
75 g de farine
35 g de beurre
200 g de chocolat noir pâtissier

Pour la gelée de vinaigre
25 cl de vinaigre balsamique
5 g de carraghénane

Pims balsam
Gelée de vinaigre balsamique, génoise chocolatée

La gelée de vinaigre balsamique
- Dans une casserole, chauffer le vinaigre balsamique. Ajouter le carraghénane en pluie fine, et bien mélanger au fouet en évitant d'incorporer trop d'air.
- Aux premiers frémissements, retirer du feu et couler rapidement la préparation dans un moule sur 0,5 cm d'épaisseur environ.
- Laisser refroidir à température ambiante (10 minutes environ).

La génoise chocolatée
- Préchauffer le four à 200 °C.
- Fouetter les jaunes d'œufs avec le sucre et la cassonade pendant 5 minutes. Incorporer délicatement la farine à l'aide d'une spatule.
- Monter les blancs en neige, et ajouter la cuillère de sucre à la fin.
- Verser le beurre fondu restant, puis les blancs en neige sur les jaunes d'œufs. Mélanger délicatement la pâte à la spatule.
- Répartir la pâte sur la plaque sur 1 cm d'épaisseur environ. Enfourner et cuire pendant 10 minutes.
- Retourner la génoise sur une plaque légèrement huilée. La couvrir d'un linge propre, et laisser refroidir à température ambiante (30 minutes environ).
- Faire fondre le chocolat noir au bain-marie.
- Découper 12 cercles de 5 cm de diamètre environ dans la génoise.
- Les badigeonner de chocolat noir fondu, à l'aide d'un pinceau.
- Laisser durcir dans un endroit frais (1 heure environ).

Le pims balsam
- Assembler les cercles de génoise chocolatée 2 à 2 fourrés d'un cercle de gelée de vinaigre balsamique de même diamètre et servir.

Dans cette recette, c'est la propriété du carraghénane de gélifier en milieu acide qui est utilisée. En effet, le pH du vinaigre est acide, et pourtant le carraghénane forme un réseau, et donc gélifie le vinaigre.

Pour accompagner nos plats d'un ingrédient à la texture gélifiée insolite, partons de tout autre liquide acide (vinaigre de cidre, jus d'agrumes, etc.). Ajoutons du carraghénane (à hauteur de 1 à 2 g pour 100 g de préparation). Chauffons ces deux éléments ensemble et coulons la préparation ainsi obtenue sur une plaque. Laissons refroidir et incorporons ce gel acidulé à des salades de fruits ou de légumes, des crêpes, des gâteaux, etc., en tranches fines ou en morceaux.

L'effervescence

L'effervescence est la formation de bulles de gaz dans un liquide. Une effervescence se produit lorsqu'un acide entre en contact avec du bicarbonate de sodium. Par exemple, lorsqu'on mélange du bicarbonate de sodium à de l'acide citrique en poudre et que ce mélange est solubilisé dans de l'eau, une réaction chimique se déclenche et libère du dioxyde de carbone (CO_2).

6 personnes

10 min. de préparation

13 min. de cuisson

30 min. de repos

2 h 30 de réfrigération

Pour la mousse de bière blonde
20 cl de bière blonde
10 g de sucre en poudre
4 g de gélatine (2 feuilles)
2 g de bicarbonate de sodium

Pour la gelée de citron
Le jus de 2 gros citrons
  (10 cl environ)
50 g de sucre en poudre
3 g d'agar-agar

Twist
Mousse de bière blonde « basique », gelée de citron

Mode opératoire

La mousse de bière blonde « basique »
○ Mettre les feuilles de gélatine à tremper dans de l'eau froide pour les ramollir.
○ Dans une casserole, chauffer la bière et le sucre.
○ Aux premiers frémissements, retirer du feu et ajouter immédiatement la gélatine à peine essorée en remuant au fouet.
○ Laisser refroidir à température ambiante (10 minutes environ).
○ Ajouter le bicarbonate de sodium en remuant au fouet.
○ Verser la préparation dans le siphon.
○ Placer au réfrigérateur au moins 2 heures.

La gelée de citron
○ Dans une casserole, chauffer le jus de citron (passé au chinois) et le sucre. Ajouter l'agar-agar en pluie fine et mélanger au fouet en évitant d'incorporer trop d'air. Porter à ébullition pendant 2 à 3 minutes en remuant.
○ Retirer du feu et répartir la préparation dans 6 petites verrines.
○ Laisser refroidir à température ambiante (30 minutes environ), puis placer au réfrigérateur (30 minutes environ).

Le twist
○ Introduire une cartouche de gaz dans le siphon et le secouer fortement la tête en bas.
○ Répartir la mousse de bière dans les petites verrines (le volume de mousse de bière doit être deux fois plus important que le volume de gelée de citron pour que la sensation d'effervescence soit optimale en bouche).
○ Servir immédiatement.

Exploration

L'acide (l'acide citrique et l'acide ascorbique du jus de citron) et la base (le bicarbonate de sodium) sont séparés dans le verre en deux textures différentes. Le jus de citron est pris en gel et le bicarbonate de sodium est solubilisé dans la mousse de bière. En bouche, la salive permet à ces deux composés d'entrer en contact. Du dioxyde de carbone est libéré : on obtient une effervescence.

Innovation

Remplaçons la gelée de citron par tout autre préparation acide (gelée de vinaigre balsamique, mousse d'agrumes, etc.) et la mousse de bière « basique » par tout autre préparation (mousse de mangue, gelée de soda, etc.) à laquelle on ajoutera du bicarbonate de sodium (à hauteur de 1 g pour 100 g de préparation). L'association de ces 2 éléments dans des proportions adéquates nous procurera une nouvelle sensation en bouche : ça titille les papilles !

6 personnes

5 min. de préparation

20 min. de cuisson

30 min. de repos

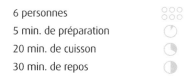

Ingrédients

100 g de sucre en poudre

5 cl d'eau

0,2 g d'acide citrique

0,2 g de bicarbonate de sodium

Chupa
Sucette de caramel effervescent

Mode opératoire

- Diluer le bicarbonate de sodium dans 1 cuillerée à soupe d'eau.
- Dans une casserole, chauffer le sucre, l'eau et l'acide citrique, à feu moyen et sans remuer, jusqu'à obtenir une coloration rousse (15 à 20 minutes).
- Retirer du feu le caramel obtenu et ajouter la solution de bicarbonate de sodium en remuant vigoureusement (le mélange va mousser, attention aux projections !).
- Couler immédiatement 6 petits tas de caramel sur une plaque recouverte de papier cuisson. Étaler à la forme voulue et enfoncer une pique en bois dans chacun.
- Laisser durcir à température ambiante (30 minutes environ).
- Conserver au réfrigérateur.

Un mélange de sucre, d'acide citrique et d'eau est chauffé. Lorsque du bicarbonate de sodium est ajouté à la préparation, il réagit avec l'acide citrique. Du dioxyde de carbone (CO_2) est produit, ce qui fait mousser la préparation. De plus, l'ajout de bicarbonate de sodium diminue l'acidité de la préparation, ce qui favorise les réactions de caramélisation. Après refroidissement, on obtient un caramel emprisonnant des bulles de CO_2.

« Bullons » nos préparations en associant un acide et une base dans une préparation aqueuse. Bloquons ainsi des bulles d'air dans des préparations qui se solidifient très rapidement (caramel, gel à prise rapide, préparation congelée rapidement, etc.). Ou ajoutons un peu d'acide en poudre à un liquide basique et vice et versa : une citronnade où l'on ajoutera, au dernier moment et sous les yeux de nos invités, une petite quantité de bicarbonate de soude. Ou encore confectionnons de petites pastilles effervescentes aromatisées, à partir d'une petite quantité d'acide en poudre et de bicarbonate de sodium, que l'on plongera dans une boisson.

La fermentation

La fermentation est due à des micro-organismes qui se développent en présence d'eau, de substances nutritives et à des températures adéquates.

On distingue deux types de fermentation : la fermentation alcoolique (dans la bière, le pain, etc.) qui transforme des sucres en alcool et en dioxyde de carbone (CO_2), et la fermentation lactique (dans le yaourt, le fromage, etc.) qui transforme des sucres en acide lactique.

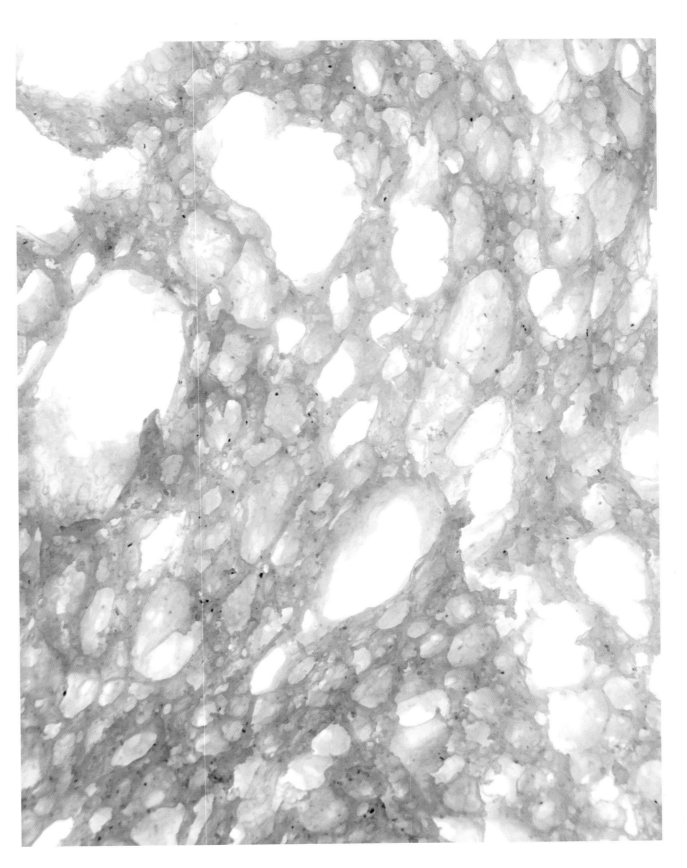

8 yaourts de 125 g   8

15 min. de préparation

15 min. de cuisson

4 h de repos   4 ●

4 h de réfrigération   4 ❄

Pour le sirop de carotte
10 cl de jus de carotte
Le jus d'1/4 de citron
50 g de sucre en poudre

Pour le yaourt coriandre
1 yaourt nature
1 litre de lait entier stérilisé
4 c. à s. de sucre en poudre
10 g de brins de coriandre fraîche

Yaourt marocanisé
Yaourt coriandre, sirop de carotte

Mode opératoire

Le sirop de carotte

- Dans une casserole, porter à ébullition le jus de carotte, le jus de citron et le sucre, et cuire à petits bouillons jusqu'à ce que la préparation réduise de moitié (10 minutes environ).
- Transvaser le sirop de carotte obtenu dans un bol et laisser refroidir à température ambiante (le jus doit avoir une consistance sirupeuse à la fin de la cuisson et une consistance de miel liquide après refroidissement, pour éviter qu'il se mélange au yaourt).

Le yaourt coriandre

- Dans une casserole, chauffer la moitié du lait, le sucre et les brins de coriandre en remuant de temps en temps. Aux premiers frémissements, retirer du feu et passer le lait chaud au chinois en pressant bien la coriandre avec le dos d'une cuillère.
- Mélanger, à l'aide d'une cuillère en bois, l'autre moitié du lait et le yaourt.
- Verser le lait chaud sur la préparation froide au yaourt en remuant vigoureusement. La préparation doit être aux alentours de 40 °C.
- Mettre 1 cuillère à soupe de sirop de carotte au fond de chaque pot de yaourt, puis verser délicatement la préparation au yaourt par-dessus.
- Fermer les pots avec leur couvercle ou avec du film étirable fixé par un élastique.
- Placer les pots de yaourt au four basse température réglé sur 40 °C, ou dans le four éteint mais préalablement chauffé à 50 ou 60 °C (en réactivant le ventilateur de temps en temps), ou bien encore au bain-marie dans une Cocotte-Minute fermée, dans laquelle on aura préalablement porté de l'eau à ébullition et à laquelle on aura ajouté la même quantité d'eau froidet.
- Laisser prendre au moins 4 heures. Puis placer au réfrigérateur encore 4 heures.

Le yaourt, qui joue le rôle de ferment, apporte les micro-organismes (*Lactobacillus bulgaricus* et *Streptococcus thermophilus*), nécessaires à la fermentation lactique. L'eau (contenue dans le lait), les sucres (ajoutés et contenus dans le lait) et la température (aux alentours de 40 °C) permettent le bon développement de ces micro-organismes. Au cours de la fermentation lactique, les micro-organismes produisent de l'acide lactique, ce qui modifie la structure des protéines du lait et conduit à leur coagulation : on obtient un yaourt.

Remplaçons le yaourt nature par une autre source de micro-organismes (un produit laitier fermenté au bifidus ou au L.caséi, une boisson au kombucha, un kéfir, etc.). Mélangeons-le à du lait et laissons fermenter cette préparation pendant plusieurs heures (temps variable en fonction du ferment) aux alentours de 40 °C. Réalisons ainsi des laits fermentés maison, à la consistance plus ou moins ferme et au goût plus ou moins acide, auxquels on pourra ajouter des essences (amande amère, menthe), des aromates, des épices, etc.

6 personnes

5 min. de préparation

3 min. de cuisson

1 h de repos

1 nuit de réfrigération

10 ❄

Ingrédients

1 litre de jus de raisin muscat
2,5 g de levure de boulanger
(fraîche)

Muscat perlant
Jus de raisin muscat fermenté

Mode opératoire

○ Diluer la levure de boulanger dans un peu de jus de raisin tiède.
○ Mélanger et laisser reposer au moins 10 minutes.
○ Dans une casserole, tiédir légèrement le reste de jus de raisin (aux alentours de 40 °C).
○ Ajouter la préparation de levure de boulanger au jus de raisin tiédi.
○ Mélanger et couvrir d'un linge propre. Laisser fermenter au moins 1 heure dans un endroit chaud, par exemple dans un four éteint mais préalablement chauffé à 50 °C.
○ Placer au réfrigérateur pendant une nuit.
○ Servir frais.

Exploration

La levure de boulanger, qui joue le rôle de ferment, apporte les micro-organismes nécessaires à la fermentation alcoolique. L'eau et les sucres (contenus dans le jus de raisin), ainsi que la température (le jus de raisin est chauffé à 40 °C) permettent le bon développement de ces micro-organismes. Au cours de la fermentation alcoolique, les micro-organismes produisent du dioxyde de carbone (CO_2) : on obtient un jus de fruit perlant.

Innovation

Remplaçons le jus de raisin muscat par un autre jus de fruit (jus de raisin blanc, jus de pomme, etc.). Ajoutons un peu de levure de boulanger (à hauteur de 0,2 à 0,3 g pour 100 g de préparation), et laissons fermenter quelques heures dans un endroit tiède. Après réfrigération, nous obtiendrons une boisson fermentée rafraîchissante, « perlante » en bouche. Une agréable alternative aux boissons pétillantes plus connues !

Annexes

Équivalences de poids/cuillères doseuses

Chaque cuillère doseuse doit être arasée (cuillère pleine avec surface plane au niveau du rebord) avec une lame de couteau.

Ce système d'équivalences n'est qu'une solution de remplacement. Les poudres n'ayant pas les mêmes caractéristiques (granulométrie par exemple) selon les fournisseurs, nous vous recommandons l'utilisation d'une balance de précision pour les peser.

Laver les cuillères entre et après chaque utilisation.

Exemple de calcul :

◦ Sachant que :

  0,8 % signifie 0,8 g de poudre pour 100 g de préparation,

◦ Combien de grammes d'agar-agar faut-il utiliser pour 300 g de préparation ?

0,8 g d'agar-agar correspond à 100 g de préparation ;

si X g d'agar-agar correspondent à 300 g de préparation, on a :

$X / 0,8 = 300 / 100$, d'où : $X = (300/100) \times 0,8 = 2,4$ g.

En se référant au tableau des équivalences, on peut mesurer 2,4 g d'agar-agar en utilisant :

1 cuillère de 0,63 mL + 1 cuillère de 1,25 mL + 1 cuillère de 2,5 mL.

Le tableau des équivalences poids en grammes/cuillères doseuses

(en g)	Cuillère 0,63 ml 1/8 teaspoon	Cuillère 1,25 ml 1/4 teaspoon	Cuillère 2,5 ml 1/2 teaspoon	Cuillère 5 ml 1 teaspoon	Cuillère 15 ml 1 tablespoon
Agar-agar	0,4	0,6	1,4	2,8	8,3
Alginate de sodium	0,6	0,8	1,9	3,9	11,6
Sel de calcium	0,5	0,7	1,5	3,2	9,5
Carraghénane	0,6	0,9	2	4,1	12,1
Acide citrique	0,6	0,8	1,9	3,9	12,1
Bicarbonate de sodium	0,8	1,2	2,6	5,5	16,5
Acide ascorbique	0,7	1,0	2,3	4,8	14,0
Lécithine de soja	0,4	0,5	1,2	2,6	8,1

Équivalences
de chaleur

La conversion exacte des degrés Fahrenheit en degrés Celsius n'est pas linéaire. C'est pourquoi il existe une règle simple qui consiste à multiplier le thermostat par 30 pour obtenir une valeur approximative de la température en degrés Celsius. Par souci de précision, le tableau ci-dessous donne la conversion exacte des degrés Fahrenheit et des thermostats en degrés Celsius, ainsi que l'approximation que nous pouvons en faire pour rester au plus proche de la réalité.

Les formules exactes de conversion sont les suivantes :

$$T\ °F = ((9 \times T°C) ÷ 5) + 32$$
$$T\ °C = ((T\ °F - 32) ÷ 5) ÷ 9$$

Degrés Celsius	Approximation degrés Celsius	Degrés Fahrenheit	Thermostats 1 à 10
37,77	40	100	1
51,66	50	125	
65,55	65	150	2
79,44	80	175	
93,33	95	200	3
107,22	105	225	
121,11	120	250	4
135,00	135	275	
148,88	150	300	5
162,77	165	325	
176,66	175	350	6
190,55	190	375	
204,44	205	400	7
218,33	220	425	
232,22	230	450	8
246,11	245	475	
260,00	260	500	9
273,88	275	525	
287,77	290	550	10

Glossaire

Agent réducteur
Molécule donnant un ou plusieurs électrons (devenant ainsi une substance oxydée). Il intervient dans les réactions d'oxydoréduction (réaction chimique au cours de laquelle un électron est transféré d'une molécule à une autre).

Aqueux
Adjectif faisant référence à l'eau, ou à une solution à base d'eau.

Arôme
Odeur agréable d'une plante, dite alors « aromatique ».

Coagulation
Association de protéines en un réseau sous l'action d'agents physiques (chaleur, agitation, etc.) ou chimiques (pH, enzymes, etc.).

Dispersion
Solide, liquide ou gaz contenant un autre corps uniformément réparti dans sa masse.

Dissolution
Du verbe « dissoudre ». Mélange homogène de substances qui ne réagissent pas entre elles.

Enzyme
Protéine permettant d'accélérer les réactions chimiques. Les enzymes sont des catalyseurs biologiques.

Ferment
Micro-organisme responsable d'une fermentation.

Goût
Sensation globale, synthétique, que l'on a en mangeant. C'est une somme de toutes les perceptions de saveur, d'odeur, de température, etc.

Hygroscopique
Propriété d'un composé à absorber l'humidité de l'air.

Micro-organisme
Être vivant microscopique tel que les levures, les bactéries.

Miscibilité
Propriété d'un composé à se mélanger dans un liquide.

Molécule
Assemblage d'atomes unis par des liaisons chimiques plus ou moins stables.

Organoleptique
Propriété qui fait qu'un aliment a un effet sur les sens (visuel, olfactif, tactile, gustatif et auditif) et le rend ainsi reconnaissable.

pH
Mesure de l'acidité d'un produit en solution aqueuse. C'est l'abréviation de « potentiel hydrogène ». Une solution est « acide » si son pH est inférieur à 7, « basique » s'il est supérieur à 7 et « neutre » s'il est égal à 7.

Polysaccharides
Assemblages de sucres formant de longues chaînes.

Protéines
Assemblages d'acides aminés formant de longues chaînes.

Réseau
Association de grosses molécules entre elles.

Sapide
Qui a de la saveur.

Solubilisation
Synonyme de « dissolution » (voir p.146).

Tensioactif
Composé qui abaisse la tension superficielle de l'eau ou d'une solution. Ce type de molécule est composé d'une partie soluble et d'une partie insoluble dans l'eau, ce qui permet son utilisation en tant qu'émulsifiant.

Viscosité
Résistance qu'offre un fluide à s'écouler.

Index
et table

Index
des aliments
et additifs

Index
des recettes

Table
des matières

Carnet
d'adresses

Pour connaître les avancées scientifiques dans le domaine de la gastronomie moléculaire :
Laboratoire de gastronomie moléculaire
UMR 214 INRA
Institut des sciences et industries du vivant et de l'environnement (AgroParisTech)
16, rue Claude-Bernard, 75005 Paris
www.inra.fr/la_science_et_vous/apprendre_experimenter/gastronomie_moleculaire

Pour se fournir en ingrédients et matériel :
Société Cuisine Innovation
Vente de matériel et agents de texture, conseil en technologie culinaire, formation
16, rue E. Estaunié, 21 000 Dijon
www.cuisine-innovation.fr

Pour d'autres informations :
www.sciencesetgastronomie.com

Dépôt légal : novembre 2010
Imprimé en Espagne par Graphicas Estella
ISBN 9782501058667
4011136/05